afgeschreven

D0783758

Eindexamengala

Geschreven door Bobbi JG Weiss
en David Cody Weiss.

*Voor Sissa Betta, die we voor altijd zullen benijden
om haar eindexamenfoto.*

BIG BALLOON
PUBLISHERS

Reeds verschenen:

1. SABRINA DE TIENERHEKS
2. DE TOVERGRIEP
3. HET HEKSENDUEL
4. IEDEREEN VERLIEFD
5. HARVEY'S HONDENLEVEN
6. HET WENSPOEDER
7. DE HEKSENJACHT
8. HET VOLLEMAANSFEEST
9. EEN WEEK VOL VETTE PECH!
10. DE HEKS VAN MANHATTAN
11. HET AQUARIUM MYSTERIE
12. EINDEXAMENGALA

Binnenkort verschijnt deel 13 in de Sabrina-reeks!

Een uitgave van Big Balloon BV, Heemstede.

Oorspronkelijke uitgave: Simon Pulse, een imprint van
Simon & Schuster, New York, 2002
Oorspronkelijke titel: Prom Time
Dit verhaal is geschreven door Bobbi JG Weiss
en David Cody Weiss.
Vertaling: Maya Denneman
Eerste druk 2006
Distributie voor Nederland: Aldipress BV, Utrecht
Distributie voor België: Het Bronzen Huis, Antwerpen
NUR 315

www.bigballoon.nl

* *

Hoofdstuk 1

* *

"Het is niet eerlijk!"
Een kwaad kijkende Sabrina Spellman komt met veel lawaai het huis binnen. Ze smijt de deur achter zich dicht, gooit haar tas op de grond en stampt richting de keuken.
Daar is niemand.
Dat maakte haar woede nog een graadje erger. Hoe kon ze klagen en om medelijden vragen als er niemand is? "Het is niet eerlijk!" schreeuwt ze tegen de lege ruimte terwijl ze met haar vuist op het aanrecht slaat om haar woorden kracht bij te zetten. "Au!" Ze zoog op de zijkant van haar hand en trok de deur van de koelkast open, vast van plan om haar verdriet te verdrinken in een groot pak karamel-pistache ijs. Op dat moment komt haar tante Zelda binnen.
"Bespeur ik hier een woedeaanval?" vraagt Zelda liefjes.
Sabrina antwoordde met een omhooggestoken rechter wijsvinger. Een woeste donderknal deed het huis schudden.

Zelda bleef volkomen kalm. “Ja, dus.”
“Er is geen gerechtigheid in deze wereld”, meldde Sabrina, en alsof dat alles verklaarde, stak ze haar lepel diep in de twee literbak ijs, schepte hem vol en propte hem in haar mond.
Zelda deed haar armen over elkaar. “Weet je, schaaltjes zijn echt een geweldige uitvinding. Die zorgen er bijvoorbeeld voor dat je je eten niet op je kleren krijgt.”
Sabrina keek naar beneden en zag dat er een kwak ijs op haar lievelingstrui zat. Met een onsamenhangende grom flitste ze de vlek weg, waarna ze de hele twee literbak in een schaal toverde. Terwijl ze de enorme overlopende schaal bezitterig tegen zich aan drukte, droeg ze hem naar de keukentafel, ging zitten en begon weer driftig met haar lepel te hakken.
Zelda ging op de stoel naast haar ziedende nichtje zitten. “Op een schaal van één tot tien is dit volgens mij een elf. Wat is er, liefje?”
“Niets wat niet opgelost kan worden door naar een andere school te gaan. Oh, tante Zelda, het is gewoon...”
“Niet eerlijk!” maakte Sabrina’s tante Hilda, die stampend de keuken binnenkwam, de zin af.
Sabrina keek haar boos aan. “Hé, dat was mijn tekst.”
“Jammer dan. Hij is niet van jou.”
“Maar ik zei het het eerst!”
“Pech! Ik zei het met meer gevoel!”
“Hé, hé, hé!” Zelda sprong overeind en stak haar armen naar voren als een scheidsrechter die klaarstaat om twee boxers uit elkaar te houden. “Wat is hier aan

de hand? Jullie gedragen je allebei als kleuters."
"Het komt allemaal door Libby", mokte Sabrina. "Ik word soms zo ziek van haar dat ik wel kan... kan... *spugen*!" Maar in plaats van te spugen, schrokte ze nog een lepel ijs naar binnen.
"Spugen?" lachte Hilda spottend. "Spugen? Ga je gang, spuug zoveel je wilt. Het enige wat je daarmee kwijtraakt is wat lichaamsvocht en je waardigheid. Dat is wel iets anders dan je *vrijheid*."
Zelda keek haar zus aan. "Wat wil je daarmee zeggen?"
"Dat", zei Hilda, terwijl ze zich op een stoel liet zakken, "als Antonio Banderas me op zou bellen en me zou smeken met hem uit te gaan, ik nee zal moeten zeggen. Dat" – en ze flitste een lepel in haar hand – "als ik een gratis reisje naar Tahiti zou winnen, ik het zou moeten weigeren. Dat" – ze begon van Sabrina's ijs te eten – "mijn leven geruïneerd is!"
Ondanks haar frustratie was Sabrina toch nieuwsgierig. "Hoezo is je leven geruïneerd dan?"
Hilda slaakte een zachte kreun. "Ik heb huisarrest."
"Als in je-mag-het-huis-niet-uit huisarrest?"
Hilda knikte. "Een hele week!"
Nu begreep Zelda het. Haar ogen verwijdden zich terwijl ze "Oh" prevelde en haar zus medelevend op de schouder klopte.
"Ik snap het niet", zei Sabrina. "Wie heeft je huisarrest gegeven, de Heksenraad?"
Hilda lachte zurig. "Was het maar waar."
"Nee, Sabrina", zei Zelda, "dit is erger."
Voor zover Sabrina wist, was er niets erger dan met de

Heksenraad overhoop liggen. “Wie dan?”
“Papa!” gooide Hilda eruit.
Zelda masseerde Hilda’s schouders in een poging haar te kalmeren, en legde uit: “Het is een straf die onze vader Hilda eeuwen geleden heeft opgelegd” – ze ging zachter praten – “die ze besloten heeft uit te stellen.”
Hilda’s wangen werden rood gloeiend. “Oh, leuk. Eerst doe je meelevend en daarna ben je ineens tegen me.”
“Ik ben helemaal niet tegen je. Ik vertel Sabrina alleen maar de waarheid. Als jij de moed had gehad om je straf vijfhonderd jaar geleden uit te zitten, zou je je nu niet in deze positie bevinden.”
“Als ik vijfhonderd jaar geleden dat soort moed had gehad, was ik nooit in deze situatie terecht gekomen.”
“Het is allemaal je eigen schuld.”
Hilda wendde zich tot Sabrina. “Lekker schijnheilig is ze, hè?”
“Ik zeg alleen maar”, zei Zelda, “dat je je straf niet kunt ontlopen en dat het oneerlijk is om mij te laten luisteren naar jouw geklaag erover. De laatste keer dat je zoveel klaagde, heb ik een week lang oordoppen moeten dragen.”
“En je verdiende het toen ze in je oren vast bleven zitten. Klikspaan.”
Zelda reageerde op Hilda’s laatste woord alsof ze haar geslagen had. “Hóé noem je me?”
“Klikspaan”, herhaalde Hilda. “Jij hebt bij papa geklikt. Zo is hij er toch achter gekomen?”
“Niet waar”, zei Zelda beledigd. “Ik hielp je met opruimen, zoals je me gevraagd had.”

"Dat heb ik je helemaal niet gevraagd!"
"Wel waar. Je dacht toch niet dat al die kalkoenveren zichzelf op hadden geraapt, hè?"
Nu was het Sabrina's beurt om scheidsrechter te spelen en haar tantes uit elkaar te houden. "Time-out!" beval ze. "Kan iemand me misschien vertellen waar jullie over praten – eh, sorry, schrééuwcn?"
"Het sufste ooit", zei Hilda, "en het was niet eens mijn schuld. Was ik maar nooit naar dat gala gegaan met Drell..."
Sabrina liet haar lepel vallen. "Gaat dit over een gala? Mijn probleem gaat ook over een gala – mijn eindexamengala, om precies te zijn."
Hilda's ogenblikkelijke glimlach was te breed om echt te zijn. Ze wilde duidelijk dolgraag niet meer het gespreksonderwerp zijn. "Oh, vertel ons maar wat er mis is, Sabrina. We helpen je graag."
Zelda keek haar zus boos aan toen ze eraan toevoegde: "En één van ons meent dat ook echt."
"Nou, eh..." Nu ze hun aandacht had, wist Sabrina niet hoe ze de gebeurtenissen van die dag moest uitleggen zonder als een zeurpiet te klinkcn. "Het eindexamengala zit eraan te komen en Libby Chessler heeft de organisatie op zich genomen. Ik kwam er vandaag achter dat zij en de andere cheerleaders al weken aan het plannen zijn. Mr. Kraft heeft ze aangesteld en ze hebben ons niets verteld. Het feest is al over een week en alleen Libby en haar zombiemeiden hebben er inbreng in gehad. Ze beweren dat het nu te laat is om er nog nieuwe mensen bij te halen."
"Echt?" Hilda's bezorgde frons was nu wel oprecht.

"Dat is écht heel oneerlijk. Maar je kunt ze natuurlijk altijd nog in geiten veranderen en zelf de organisatie overnemen."
Sabrina grijnsde. "Dat is geen slecht idee."
"Waag het niet", waarschuwde Zelda. En terwijl ze zich tot Hilda wendde, voegde ze eraan toe: "Genoeg over mensen in beesten veranderen op gala's. Waarvoor denk je dat je huisarrest hebt?"
"Maar ik heb het niet gedaan!" hield Hilda vol. Toen Zelda's gezichtsuitdrukking niet veranderde, ging Hilda maar gewoon verder met Sabrina's ijs.
"Wacht eens even", zei Sabrina, die een overvolle lepel halverwege richting Hilda's mond tegenhield. "Hoe kan je nú huisarrest hebben voor iets wat je eeuwen geleden gedaan hebt? Is dat niet een beetje een overdreven strenge opvoeding?"
Hilda gromde alleen maar en stuurde haar lepel om Sabrina's hand heen naar haar mond.
"Ze heeft nú huisarrest", legde Zelda uit, "omdat ze tóén niet een heel jaar huisarrest wilde hebben. Ze heeft onze vader overgehaald om de straf steeds met één week tegelijk uit te zitten, één keer per decennium. Dan zou de straf over vijfhonderdtwintig jaar verspreid worden en zou hij makkelijker te verdragen zijn."
"Jammer genoeg", zei Hilda met haar mond vol bevroren drab, "wordt wélke week ik per decennium huisarrest heb, geselecteerd door een willekeurspreuk, zodat ik er niet omheen kan plannen. Het komt altijd onverwachts."
"Wat wel zo eerlijk is", zei Zelda. "Anders zou het

niet echt een straf zijn, hè?" Een geschrokken uitdrukking overschaduwde ineens haar gezicht. "Wacht eens even – het is 1999, het jaar voor het millennium. Is dit niet het dubbele jaar?"
"Dubbele jaar?" herhaalde Sabrina stomverbaasd.
Hilda stootte een hartverscheurende kreun uit. "Oh, dat is waar ook!" Ze liet haar hoofd in haar handen vallen en snikte. "Ik heb niet één week huisarrest, maar twéé!"
Zelda keek schuldig toen ze aan Sabrina uitlegde: "Dat hebben sommige hypotheken ook, dat je op het laatst twee keer zoveel moet betalen. Onze vader heeft geregeld dat de straf met een dubbel huisarrest zou eindigen – twee weken."
"Dat is pas eindigen met een knal", snikte Hilda.
Sabrina probeerde met haar tante mee te voelen, maar haar eigen ellende overstemde alle andere gevoelens. "Het spijt me voor je, tante Hilda, maar jij zit tenminste niet met Libby", zei ze. "Ik bedoel, wat moet ik nou? Als Libby het eindexamenfeest organiseert, hebben de cheerleaders en atleten straks een privézaal met een hippe dj en heerlijke hapjes en eet de rest van ons koekjes uit een pak, drinken we aangelengde punch en dansen we op oude discomuziek, in een kast." Sabrina hield haar lepel in de aanslag voor nog meer ijs, maar Zelda pakte de schaal gracieus op en droeg hem naar het aanrecht.
"Dat is wel even genoeg suiker. Het is al bijna etenstijd."
"Maar ik heb nog bijna niets gehad", zei Sabrina.
"Zie je wel?" zei Hilda, klaar om de laatste volle lepel

ijs die ze bemachtigd had in haar mond te schuiven. "Ze verpest alles."

"Hoor ik daar iemand 'verpest' zeggen?" zei een zware stem vanaf de trap. Een glanzend zwarte Amerikaanse korthaar kater trippelde van de laatste paar treden en sjokte de keuken in. "Dat lijkt me het woord van de dag. Mijn humeur is verpest, mijn middag is verpest en mijn hoorzitting is verpest, allemaal in één klap."

"Is het veilig om te vragen wat er gebeurd is?" vroeg Sabrina terwijl de kat bovenop het aanrecht sprong.

Salem liet zijn kop hangen. "Ik heb net een brief ontvangen van de Paroolcommissie van het Andere Rijk. Het blijkt dat ze erachter zijn gekomen dat ik nog steeds een abonnement op het maandblad *Hoe verover ik de wereld?* heb. Het is niet eerlijk, zeg ik je. Ze steken hun neus in alles wat ik doe!"

"Ik dacht dat het daar ook juist om ging als je voorwaardelijk vrij was", merkte Sabrina op.

"Salem, je had mij verteld dat je dat abonnement maanden geleden opgezegd hebt." Zelda was nu niet meevoelend, ze was kwaad. "Je weet dat het een voorwaarde van je voorwaardelijke in vrijheid stelling is dat je alle literatuur vermijdt die over wat voor vorm van onderwerping dan ook gaat."

Salem wendde zich tot Sabrina. "Onder-watte?"

"Je mag niets lezen over iemand die iemand anders in zijn macht heeft."

"Oh." Salem draaide zich weer terug naar Zelda. "Nou, ik kan het niet helpen. Hun artikelen zijn fascinerend, hun onderzoek diepgaand en bovendien zijn

hun uitklapbare middenpagina's geweldig. De foto van vorige maand van Saddam Hoessein die een klein kameeltje kuste kon zo aan de muur."
"Laat me raden", zei Hilda. "Je hebt huisarrest gekregen."
Salem keek haar vreemd aan. "Huisarrest? Wat zou er nou erg zijn aan de hele dag thuis zitten en lekker soezen? Nee, ik moet een extra taakstraf doen." Zijn oren lagen nu plat tegen zijn harige schedel. "Ik haat taakstraf!"
Sabrina herinnerde zich haar eigen portie taakstraf nog wel van een paar maanden geleden. Uiteindelijk was ze in een geruchtenmolen te werk gesteld, maar ze had meer keuzes gehad, waarvan de meeste walgelijk waren. "Oude heksen wassen valt best mee", zei ze tegen Salem.
Hij rilde bij de gedachte. "Alsjeblieft. Het is al erg genoeg om mezelf met mijn eigen tong te moeten wassen."
"Ja, zeker met jouw naar vis stinkende adem. Als jij je mond opendoet om je te wassen, moeten we een nieuwe luchtverfrisser kopen", mopperde Hilda.
Salem fronste zijn wenkbrauwen – niet eenvoudig voor een katachtige. "Weet dat de volgende keer dat je in slaap valt, ik hijgend boven je zal hangen."
"Oké, kunnen we allemaal nu weer gewoon doen?" Zelda keek hen één voor één aan. "Zo is het wel genoeg. We hebben allemaal problemen, maar we moeten ermee omgaan of we ze nou rechtvaardig vinden of niet. Hilda, door je eigen regeling zit je nu twee weken vast in dit huis, dus waarom maak je er niet het

beste van? Salem, je wist dat je dat tijdschrift niet mocht lezen, dus waarom neem je geen contact op met het Afsprakenbureau voor Taakstraffen van het Andere Rijk, des te sneller heb je het achter de rug. En Sabrina, je moet leren om te gaan met mensen als Libby, hoewel ik je adviseer om dat op een sterfelijke manier te doen. Hilda is het levende bewijs dat magie eerder een probleem dan een oplossing kan zijn."
Hilda wilde antwoorden, maar Salem onderbrak haar. "Een geweldige speech, Zelda, maar het is makkelijk praten als je zelf geen problemen hebt."
"Oh, maar ik heb wel problemen", verzekerde Zelda hem met een glimlach. "Ik zit met jullie drieën opgescheept." En daarmee verliet ze de kamer.
Salems onderlip trilde. "Ik voel me zo afgewezen."
"Ik vind dat we haar magische spiegel moeten betoveren zodat hij de volgende keer dat ze erin kijkt barst", mopperde Hilda.
Sabrina keek naar haar schoenen, met een schuldig gevoel. "Ze heeft wel gelijk. We zitten hier alleen maar te klagen."
"Mijn favoriete tijdverdrijf", zei Salem.
"Naast eten, natuurlijk", voegde Hilda eraan toe.
"Oh, kom op jongens." Sabrina stond op en dwong zichzelf rechtop te staan. "Goed, we hebben problemen – nou en? We lossen ze wel op. Als het moeilijk wordt, gaan de sterken door, toch?" Ze was even stil. "Tóch?"
Salem gaf zich gewonnen. "Oké, oké, ik ben het met je eens. Wie ooit gezegd heeft dat het leven niet over rozen gaat, heeft gelijk. Al snap ik niet wat daarmee

bedoeld wordt."
"Goed, ik stop ook met klagen", zei Hilda. "Als het leven een citroen brengt, maken we er limonade van, blablabla."
"Goed zo!" Sabrina glimlachte naar haar tante en de kat. "Zie je, we voelen ons nu al beter."
"Precies!"
Toen keken ze elkaar aan en jammerden gezamenlijk: "Maar het is nog steeds niet eerlijk!"

Hoofdstuk 2

Sabrina smeedde een plannetje.

De volgende schooldag haastte ze zich voor de les begon naar het kantoortje van Williard H. Kraft, onderdirecteur van *Westbridge High School*. Kraft stond niet bekend als een erg lieve man en ook niet als iemand die een goed gevoel voor rechtvaardigheid bezat, maar in theorie kon hij nog wel eens worden overgehaald naar rede te luisteren.

Ze klopte op de gesloten deur van zijn kantoor. "Mr. Kraft?"

"Ik ben er nog niet", zei een stem achter haar.

Sabrina gilde van schrik en draaide zich vliegensvlug om. Mr. Kraft stond achter haar met zijn koffertje in zijn hand. "Oh, Mr. Kraft! Daar bent u!"

"Ja, hier ben ik", was Kraft het met haar eens en hij glimlachte licht. "En daar ben jij, je blokkeert mijn deur."

"Oh, sorry." Sabrina stapte opzij zodat hij zijn sleutel in het slot kon steken. "Mr. Kraft, kan ik u even spreken?"

Hij duwde zijn deur open en stapte naar binnen. "*Miss* Spellman, wat de vraag ook is, ik weet zeker dat het antwoord nee is."
Sabrina dwong zichzelf te giechelen. Kraft maakte geen grapje – hij was serieus – en ze had al lang geleden geleerd dat lachen de enige veilige reactie was. "Ha, ha, goeie! Nee, echt, het gaat om iets belangrijks."
Kraft zuchtte. "Oké, kom maar op. Maar wel snel."
Nadat hij naar zijn bureau was gebeend, opende hij zijn koffer en begon met papieren te rommelen.
"Het gaat over het eindexamengala", zei Sabrina, die hem naar binnen volgde. "Ziet u, ik dacht dat het misschien een goed idee was als alle sociale strata van de school vertegenwoordigd werden op de organisatievergaderingen..."
Kraft tilde zijn hoofd op uit de papieren. "Sorry? Zei je nou zojuist 'sociale strata'?"
"Ja, u weet wel - zoals de nerds, de feestbeesten, de sporters, de sportsters."
"Ik weet wat die term betekent, Miss Spellman. Ik was alleen verbaasd om hem uit de mond van een middelbare scholiere te horen komen. De meeste tienergesprekken die ik opvang bestaan uit eenlettergrepige woorden en dierlijk gegrom, dus ik ging er logischerwijs van uit dat jouw communicatievaardigheden ook niet verder gingen dan dat."
Sabrina deed een stap naar achteren. "Oké, misschien is dit niet het juiste tijdstip om dit te bespreken. Ik kom wel een keer terug als u een beter humeur hebt."
"Zolang ik deze baan heb zal dat niet snel gebeuren",

snauwde Kraft, "dus laat ik alleen dit zeggen: jij hebt er problemen mee dat Libby de leiding heeft over de organisatiecommissie van het Eindexamenfeest. Klopt dat?"

Sabrina knikte. "Bingo."

"En je wilt bij de commissie, maar het mag niet van haar. Klopt?"

"Wauw, alweer raak, Mr. Kraft. U bent op dreef!" Ze probeerde een vriendelijke grijns.

Hij fronste zijn wenkbrauwen. "Slijmen heeft geen zin."

De glimlach verdween van Sabrina's gezicht en ze vroeg zich af of Kraft vroeger als kind een puppy had gehad en zo ja, of die puppy daar wel zo blij mee was geweest?

"Laat ik het zo zeggen", zei Mr. Kraft. "Ik heb dit vak al lang genoeg overleefd om het op prijs te stellen als een groots schoolevenement in goede handen is. Miss Chessler kan uitstekend organiseren en ze heeft keer op keer bewezen dat ze leerlingen kan motiveren om vervelende, eentonige, zelfs martelende, lichamelijke arbeid voor niks te verrichten. Dat is wat de gala-organisatiecommissie nodig heeft, en dat heeft ze gevonden in Libby Chessler. Einde discussie."

"Maar, Mr. Kraft, in een commissie moet ook gelijkwaardige vertegenwoordiging van alle leerlingen bestaan", drong Sabrina aan. "Nu zijn alleen de populaire mensen vertegenwoordigd."

Kraft hernam zijn strakke glimlachje. "Dan zal het een heel populair feest worden. Als je me nu wilt excuseren, ik moet naar een saaie vergadering toe." De bel

ging. “En jij moet naar een al even saaie les.”
Sabrina verliet kokend van woede Krafts kantoortje, maar ze gaf het nog niet op. “Oké, als hij niet wil helpen, probeer ik wel weer met Libby te praten.” Daar moest ze hardop om lachen, maar de uitdaging temperde haar vastberadenheid niet. “Wonderen bestaan”, zei ze tegen zichzelf. “Hommels vliegen, wat aerodynamisch gezien onmogelijk is, dus misschien kan ik vandaag ook wel een wonder bewerkstelligen.”
Tussen Engels en geschiedenis onderschepte Sabrina Libby op de gang.
“Iew”, groette Libby haar.
“Hoi”, zei Sabrina. “Libby, kunnen we het even over de organisatiecommissie van het eindexamenfeest hebben? Ik zou heel graag...”
“Is het niet verbazingwekkend”, zei Libby op harde toon tegen haar cheerleadervriendinnen, “dat freaks het woord ‘nee’ nooit verstaan?” Ze ging recht tegenover Sabrina staan. “Ik heb laatst al nee gezegd, en dat meende ik.”
“Vast wel”, zei Sabrina, die haar trots bij elkaar raapte om erop voorbereid te zijn helemaal platgestampt te worden, “maar heb je goed nagedacht over al het werk dat erin gaat zitten? Ik bedoel, er moet toch wel iets zijn dat wij niet-cheerleaders kunnen doen” – *stamp stamp!* – “om jouw leven makkelijker en aangenamer te maken?”
Libby glimlachte zelfgenoegzaam. “Maar natuurlijk. Je kunt in rook opgaan, en alle sullen met je meenemen.” Libby en haar cohorte lachten hard en liepen weg.

“Ja, maar wat zou je flippen als ik dat echt deed!” mompelde Sabrina met een jeukende wijsvinger.
Tot zover de “sterfelijke oplossing.” Tegen het eind van de dag was Sabrina zo kwaad om de oneerlijkheid ervan, dat ze zelfs schreeuwde tegen Harvey Kinkle.
“Hoi, Sabrina”, begroette hij haar terwijl hij na de laatste bel naar haar kluisje slenterde.
“Wat?!” blafte ze.
Harvey deinsde terug. “Wow, wat heb jij?”
“Oh, Harvey, sorry.” Sabrina liet zich tegen haar kluisje zakken. “Ik ben alleen maar een beetje uit mijn hum door dat gedoe met de organisatiecommissie van het gala.”
“En ik door het worstelgedoe”, zei Harvey. “Ik heb zo hard mijn best gedaan om bij het team te komen, maar het is me niet gelukt.”
“Het spijt me voor je, Harvey.”
“Het geeft niet. Ik ben pissig, maar niet pissig genoeg om niet ook nog samen met jou pissig te zijn om jouw gedoe met de organisatiecommissie.”
Sabrina voelde een kleine tinteling in haar buik. Dat voelde ze altijd als Harvey zoiets liefs zei... ook al deed hij dat een beetje omslachtig. “Dank je, maar ik denk niet dat wat pissigheid genoeg is om Libby’s opgeblazen ego te boven te komen.”
“Nee, dat denk ik ook niet.” Harveys gezicht klaarde op. “Hé, wat dacht je ervan om samen pissig te gaan zitten zijn in de Slicery met een drankje erbij?”
“Ik zou graag gaan”, zei Sabrina, “maar één van mijn tantes heeft huisarrest en ik heb beloofd meteen naar huis te komen om monopoly met haar te spelen.” Pas

toen ze het gezegd had, realiseerde ze zich hoe gek dat klonk.
Voordat Harvey iets kon zeggen, verscheen Valerie Birkhead – of liever, ze sleepte zich richting Sabrina's kluisje en straalde daarbij zo'n depressiviteit uit dat Sabrina de luchtmoleculen om haar heen bijna slap kon voelen hangen. "Hoi, Harvey", zei Valerie met uitgebluste, monotone stem. "Hoi, Sabrina. Denk je dat iemand het zou merken als ik in mijn kluisje kruip en daar de rest van mijn leven blijf zitten?"
Fijn, nog meer gedoe, dacht Sabrina. "Val, wat is er?"
"Ik heb Libby net gesproken om te vragen of ik bij de organisatiecommissie van het gala mocht."
"Laat me raden – ze zei nee?"
"Ze vertelde me dat ze zelf geen tijd had om me af te wijzen, maar dat als ik jou ging zoeken, je mij het afwijzingspraatje kon doorgeven dat ze jou net gaf."
"Jee, maar ik heb helemaal geen aantekeningen gemaakt."
Valerie snotterde. "Ze vroeg zich ook af waarom ik bij de commissie wil, aangezien ik overduidelijk niemand heb om mee naar het gala te gaan. Ik heb gelogen en haar verteld dat ik met Todd Earling ga. Wat moet ik nu?"
"Todd is een aardige gozer. Vraag hem of hij er met je heen wil", stelde Harvey voor.
"O ja, natuurlijk", zei Valerie, "alsof ik nog niet genoeg afgewezen ben in mijn leven."
Sabrina sloeg haar kluisje met een klap dicht. "Aaah, dit is al veel te ver gegaan! Ik wou dat ik Libby gewoon kon weg flitsen!"

"Flitsen?" vroeg Harvey. "Zoals met onweer?"

Met een gemeen glimlachje zei Sabrina: "Zoiets ja. Valerie, laat je niet door Libby op de kast jagen. We verzinnen wel wat, en we zullen er ook voor zorgen dat jij met Todd naar het feest gaat. Maar nu moet ik gaan."

"Haar tante heeft huisarrest en ze moeten monopolyen", legde Harvey uit.

"Vraag maar niks", zei Sabrina tegen Valerie. "Ik zie je morgen, goed?"

"Oké", kreunde Valerie. "Misschien krijgen we het zelfs ook nog wel voor elkaar om op een zaterdag ergens voor afgewezen te worden."

Tegen de tijd dat ze thuis was, was Sabrina laaiend en neerslachtig tegelijkertijd – een vreemde combinatie, waardoor ze graag op een kussen in wilde stompen, maar dan wel heel langzaam. "Sterfelijke oplossingen werken niet bij Libby", zei ze tegen haar tantes, "omdat Libby geen mens is. Ze is een nachtmerrie op pootjes."

Hilda was het monopolyspel al klaar aan het leggen op tafel. "Sabrina, waarom laat je je zo op je huid zitten door haar? Je hebt al eerder je problemen met haar opgelost."

"En dat zonder magie te gebruiken", voegde Zelda, die thee aan het zetten was, eraan toe.

Ze hadden gelijk. Sabrina had Libby een keer overgehaald voor haar in te vallen toen de leden van haar door betovering getalenteerde rockband hun talent hadden verloren, en ze had zelfs Libby's zachtere kant leren kennen toen ze de cheerleader per ongeluk in

een levensgrote puzzel had veranderd. “Maar dit is een heel andere situatie” was het enige wat ze kon bedenken.
“Anders?” vroeg Zelda, terwijl ze drie koppen thee op tafel zette. “Hoe dan?”
“Nou, dit is... dit is...” Sabrina zwaaide met haar armen. “Dit gebeurt nú en al die andere problemen waren tóén. Dat is toch genoeg?” Ze griste de dobbelsteen weg en gooide hem om te zien wie er mocht beginnen. Het was een twee. *Natuurlijk*, dacht ze zuur.
Hilda pakte de dobbelsteen op. “Voor mij klinkt het alsof hier iemand weigert een beetje mee te geven.”
“Ja – Libby.”
“Nee”, zei Zelda, “jij.”
“Maar zij doet oneerlijk”, zei Sabrina.
Hilda hield haar hand op als stopgebaar. Ze rolde de dobbelsteen en gooide vijf. “Afgelopen met dat eerlijk-oneerlijk-geroep, Sabrina. Heb je gister niets van mijn oudere en wijzere zus geleerd? We moeten allemaal leren met onze problemen om te gaan.”
Zelda keek vol ontzag naar haar jongere zus. “Hilda toch, ik had nooit verwacht dat je mijn advies zo ter harte zou nemen.”
Hilda straalde oprechtheid uit. “Zelda, soms is jouw advies verbluffend correct. Dus kan ik het zelf niet aannemen, want het zou te goed voor mij zijn. Mag ik blauw zijn?”
Zelda greep de blauwe pion vast. “Aha, je probeert alleen maar te slijmen. Nou, vergeet het maar. Ik ben blauw, jij mag rood zijn.”
“Maar ik wil helemaal niet rood zijn!”

Sabrina zette haar gele pion op Start. "Sorry, maar kunnen we nu beginnen? Ik heb al genoeg herrie in mijn hoofd zitten. Wie is de bank?"
"Ik", zei Hilda, terwijl ze de stapeltjes namaakgeld pakte. "Als ik huisarrest en rood moet hebben, krijg ik het geld."
Sabrina had moeite zich te concentreren, helemaal toen Salem erbij kwam zitten en iedereen strategische tips gaf. "Nee, nee, nee, die *Verlaat de Gevangenis zonder Betalen* moet je niet nu gebruiken", adviseerde hij haar op een gegeven moment. "De volgende keer dat je achter de tralies belandt heb je misschien geen geld. Dan is dat kaartje je redding." Hij zuchtte. "Had ik er maar eentje gehad toen Drell me erop betrapte dat ik van plan was de wereld te veroveren."
"Mag ik magie gebruiken?" vroeg Sabrina.
"Om zonder te betalen uit de gevangenis te komen?" vroeg Hilda. "Natuurlijk niet."
"Nee, ik heb het over Libby."
"Sabrina." Zelda stopte het spel met één blik. "Lieverd, heb je het nou nog niet geleerd? Rechtvaardigheid en gelijkheid zijn in beide rijken belangrijke kwesties en magie kan de problemen die ze veroorzaken niet oplossen."
"Aan de andere kant is er niets mis mee als je vuur met vuur wilt bestrijden", merkte Hilda op. "Je kent mijn motto – als je niet mee mag doen, versla ze dan." Terwijl ze dit zei verscheen er een enorme hamer in haar handen. "Wat voor Bugs Bunny werkt, kan ook voor jou werken."
Sabrina moest lachen en wilde de hamer aanpakken,

toen ze schrok van een *ka-BOEM* geluid. Er wipte iets uit de broodrooster.
"Een boodschap uit het Andere Rijk", zei Zelda, die hem oppakte. Ze gaf hem aan Sabrina. "En hij is voor jou."
Sabrina nam de kleine, witte envelop aan. Het eerste wat haar opviel was de geur. Het papier rook naar parfum en de geur leek een combinatie te zijn van rozen en... karamel?
Hilda snoof. "Oh-oh."
Zelda snoof. "Och, hemel."
"Wat?" vroeg Sabrina, die hem nu niet meer open durfde te maken. Maar haar nieuwsgierigheid won het. Heel voorzichtig trok ze de driehoekige flap los. Een fleurige wenskaart sprong eruit en bracht, terwijl hij uit zichzelf bleef zweven, de boodschap over met een vaag bekende stem. "Sabrina, lieverd, hoe gaat het? Ik heb het nieuws net gehoord en ik ben helemaal extatisch! Dit is de mooiste tijd van je leven, dus je moet alles tot in de puntjes plannen. Natuurlijk heb je daarbij mijn expertise nodig, dus kom ik gauw een keertje langs. Tot dan!" De kaart sloot zichzelf en gleed terug in zijn envelop.
Sabrina keek naar de kleurrijke letters op de envelop.

Sabrina Spellman
Broodrooster 47882
Het Sterfelijke Rijk

Een mengeling van vreugde en vrees bekroop haar. "Is die stem van wie ik denk dat-ie is?" vroeg ze aan haar tantes.

Ze knikten. "Het lijkt erop dat je tante Vesta hierheen komt om je te helpen met de voorbereidingen voor je gala."

* *
# Hoofdstuk 3
* *

Eigenlijk was een bezoek van Vesta helemaal niet erg. Sabrina mocht haar oudste tante wel. Het probleem was alleen dat Vesta leefde voor stijl en wat zij stijlvol vond, hoefde niet overeen te stemmen met de mening van de rest van het heelal. Wat haar persoonlijkheid aangaat: Zelda beschreef het eens als "ietwat opdringerig". Dat alles, gecombineerd met een magnifiek uiterlijk, een ego dat zo groot was als Nebraska en krachtige heksenmagie, maakte Vesta iets te veel van het goede.

Aan de andere kant stelde Sabrina de vooraankondiging van haar oudste tante op prijs. Het was ongewoon om door heksenfamilieleden van tevoren op de hoogte gesteld te worden. Veel vaker kwamen bezoekers uit het Andere Rijk binnenwandelen door de linnenkast wanneer ze maar wilden en vroegen dan wat er voor die avond op het menu stond. Sabrina kon zich nu tenminste voorbereiden op Vesta's bezoek.

En daar had ze drie hele minuten voor.

Een rookwolkje en wat geklingel van gouden sieraden, en tante Vesta stond plotseling in de keuken. "Zelda! Hilda! En mijn lieve Sabrina. Heb je mijn kaartje gekregen?" vroeg ze, waarna ze met een perfect stralende glimlach haar perfect witte tanden liet zien.

Sabrina hield de wenskaart omhoog. "Ja, drie minuten geleden."

"Perfect! Ik wilde niet zomaar onaangekondigd binnenvallen." Vesta probeerde Sabrina te omhelzen, maar toen ze haar armen uitstak, viel ze bijna om. "Oeps", zei ze vrolijk grinnikend. "Suffe ikke. Die dingen lopen nog moeilijker dan vijftien centimeter hoge naaldhakken."

Sabrina keek naar beneden en zag dat Vesta kunstschaatsen aan haar voeten had. Vesta was trouwens van top tot teen gekleed in een glinsterend schaatspakje dat zo strak zat dat ze erin gegoten moest zijn. Niet dat het haar niet goed stond. Tante Vesta's figuur werd beneden door – nou, zo'n beetje iedere vrouw die haar zag, zowel sterveling als heks. Maar geen enkele hoeveelheid stijl kan iemand helpen op kunstschaatsen over een linoleum vloer te lopen. "Geef tante Vesta eens een knuffel", zei ze uiteindelijk maar, en ze strekte haar armen naar Sabrina uit, maar bewoog verder niet.

Sabrina gaf Vesta gehoorzaam een knuffel en Vesta gaf haar twee enthousiaste "sociale kussen", of wat Valerie "elitaire luchtsmakkerds" noemde. Sabrina vond het mal om de lucht naast iemands oor te zoenen, maar het was één van die vervelende sociale procedures die sommige mensen serieus namen. Vesta in

ieder geval.
Toen hield Vesta Sabrina bij haar schouders vast en bekeek haar van onder tot boven alsof ze iedere centimeter vaststelde... wat ook precies was wat ze deed.
"Oh, je wordt toch zo snel volwassen", zei ze bewonderend. "Het is al tijd voor je eerste gala! Ik kan in ieder geval niet wachten. Het is morgen over een week – volgende week zaterdag, toch?"
"Eh, ja", zei Sabrina. Ze wilde toevoegen: "En jij bent niet uitgenodigd", maar in plaats daarvan vroeg ze: "Hoe weet je dat?"
"Lieverd, ik ken alle belangrijke momenten in ieders leven. Ik ben tenslotte je tante Vesta."
"Wat ze bedoelt", zei Hilda, die haar irritatie niet verborg, "is dat ze zo'n groot sociaal Kalender Systeem van Witchwork heeft dat ieder onderdeel van haar leven bijhoudt... en van dat van anderen."
"Het is zo ingewikkeld dat haar computer in het Andere Rijk op een eigen magische generator loopt", voegde Zelda er niet zonder jaloezie aan toe.
"Die trouwens vervangen moet worden", zei Vesta tegen haar. "Hij is zeker versleten, want ik heb gisteren een kappersafspraak gemist. Kun je het je voorstellen? Ik moest mezelf coifferen!" Ze kuste haar wijsvinger. "Wat een geluk dat ik net zo getalenteerd als mooi ben!" Daar was de verblindende glimlach weer. "Maar genoeg daarover. Ik kwam alleen even langs om te zien of alles op rolletjes loopt. Geen problemen met de jurkplanning? Is er al een tafeltje in het beste restaurant gereserveerd?" Ze staarde Sabrina in de ogen alsof ze probeerde in haar ziel te kijken. "Ik

neem ááán dat je iemand hebt met wie je erheen gaat?"
"Ja, dat heb ik", antwoordde Sabrina, ondanks zichzelf geamuseerd. Vesta was een bemoeial, maar haar interesse was zo oprecht dat Sabrina moeilijk kwaad kon zijn. "Hij heet Harvey Kinkle."
Vesta trok haar neus op alsof ze iets heel smerigs rook. "Die stervelingen en hun bizarre namen toch. Maar goed. Ziet hij er een beetje leuk uit?"
"Hij is een dikke tien", verzekerde Sabrina haar.
"Dat lijkt me voldoende." Vesta stak haar vinger in de lucht. "Nou, ik moet ervandoor. Mijn feestje is nog bezig, maar ik kon gewoon niet wachten om je te feliciteren, Sabrina." Vertrouwelijk fluisterde ze er achteraan: "Ik heb heel Groenland afgehuurd voor een Winterparadijsfeest. Is dat geen giller?" Ze zwaaide met haar hand en verdween in een wolk van glitters, met kleuren die bij haar kleding pasten, natuurlijk. "Ik kom gauw weer langs! Tot dan!" riep haar stem toen ze al weg was.
Hilda zwaaide naar het niets. "*Hasta la Vesta, baby.*"
Sabrina keek naar haar tantes. "Waarom mogen jullie Vesta niet?"
"Dat is het niet, Sabrina", begon Zelda.
"We worden alleen gek van haar", maakte Hilda af. "Altijd de mooiste."
"Altijd de perfectste."
"Altijd de bemoeizuchtigste."
Hilda en Zelda keken elkaar boos aan. "Zij is duidelijk degene met de meeste lol."

Het weekend ging voorbij en Sabrina werd met de

minuut nerveuzer. Wat had Vesta bedoeld met “Ik kan in ieder geval niet wachten”? In hoeverre was ze van plan zich ermee te bemoeien?
Sabrina kende de oudste Spellman-zus al lang genoeg om te weten dat ze Vesta er niet van kon weerhouden om advies te geven. Overtuigd van haar superieure smaak, maakte Vesta het onmogelijk haar te negeren.
“Wat tips voor mijn haar en make-up kan ik wel gebruiken”, deelde ze Salem in vertrouwen mee. “Maar het klonk alsof tante Vesta van plan is met me mee te gaan naar het gala. Ze zou toch niet...?”
“Vesta ziet er onvoorstelbaar goed uit voor iemand van boven de achthonderd”, antwoordde Salem, “maar zelfs zij zou niet op een eindexamenfeest binnen proberen te vallen.” Salem zweeg even. “Maar hang me er niet aan op.”
“Bedankt, kat. Ik voel me al een stuk beter.”
Hilda hielp de situatie ook niet echt. Huisarrest hebben kan vervelend zijn voor een tiener, maar voor een volwassen heks die zich normaal wanneer ze maar wil van Sjanghai naar Seattle kan flitsen, is het een ware marteling. Hilda probeerde vrolijk te zijn, maar tegen de tijd dat het zaterdag was, lag ze uitgestrekt op de bank naar de tv te staren en at ze alles wat maar in haar gezichtsveld kwam. Zondag had ze niet alleen verschrikkelijke buikpijn, maar ze had ook nog de gewoonte aangenomen om te kreunen in plaats van te praten.
Toen het maandag was, zat ze tegen de glasplaten van de keukendeur aan gedrukt en staarde naar buiten met grote, glazige ogen als een insect dat in een fles

gevangen zit. Nadat Sabrina haar schoolspullen had gepakt, ging ze naar de keuken om te ontbijten en aanschouwde dit opmerkelijke tafereel. "Tante Hilda, gaat het wel?"
Hilda gromde alleen maar.
Sabrina wendde zich tot Zelda, die eieren aan het koken was. "Tante Zelda, is dit normaal?"
"Voor Hilda, ja", gaf ze toe. "Ze kan niet zo goed omgaan met huisarrest."
"Maar waarom staart ze naar het achterterras?"
Salem, die op de keukentafel zat, opperde: "Omdat dat bijna hetzelfde is als daar zijn?"
Sabrina wilde dat ze haar arme tante gezelschap kon houden, maar ze moest naar school – niet dat ze dat echt graag wilde, maar vandaag was er een belangrijke vergadering van de organisatiecommissie van het eindexamenfeest. En Sabrina was van plan hem bij te wonen, op wat voor manier dan ook.
Na een haastig ontbijt en een hobbelige busrit, stormde ze door de gangen van Westbridge High School, op weg naar haar minst favoriete ruimte: het kantoortje van de onderdirecteur.
"Oh, nee, hè. Niet jij weer", zei Mr. Kraft toen ze binnenliep.
Bij iedere andere persoon zou Sabrina vreselijk beledigd zijn geweest, maar het was Mr. Krafts standaard begroeting. "Mr. Kraft, kan ik u even spreken?"
"Dat heb je zojuist gedaan, dag." Hij vestigde zijn aandacht weer op de stapel papieren in zijn hand.
Sabrina was niet van plan hem er deze keer zo makkelijk vanaf te laten komen. "Mr. Kraft, ik eis dat ik

bij de organisatiecommissie mag. Het duurt nog maar een week. Op dit punt kan ik onmogelijk de speciale plannetjes die Libby voor de populaire leerlingen gemaakt heeft in de war schoppen, toch?"

Nadat hij uiterst langzaam zijn papieren had neergelegd, liet Kraft zijn blik omhoog glijden totdat hij haar aankeek, wel nog steeds met gebogen hoofd. Deze houding deed hem op een slechterik uit een goedkope horrorfilm lijken. "Je *eist*?" zei hij met zachte stem.

Sabrina slikte. "Eh, ik bedoel... alstublieft?"

"Nou, goed dan..."

"Wauw, dank u wel!"

"Ik was nog niet klaar."

"Sorry." Sabrina probeerde haar golf van triomf te onderdrukken.

"Ik ging zeggen, goed, je mag een vergadering bijwonen", zei Kraft, "maar slechts één enkele. Ik zal tegen Libby zeggen dat de vergadering van vandaag openbaar moet worden. Iedereen die hem wil bijwonen, mag dat doen en kan dan horen welke plannen er zijn gemaakt. Maar"– en hij benadrukte het woord – "je mag alleen toeschouwer zijn. Je mag vragen stellen, maar Libby heeft de leiding over de vergadering. Aanvaard je de voorwaarden?"

Het was niet waar Sabrina op gehoopt had, maar het was duidelijk dat dit het beste was wat ze zou krijgen.

"Oké", stemde ze in. "Dank u, Mr. Kraft."

"Graag gedaan. Wil je mij nu ook een plezier doen?"

"Tuurlijk."

"Hoepel op."

Sabrina ging weg.

Voor een maandagochtend gingen Sabrina's lessen aardig snel voorbij. Tegen de tijd dat de lunch begon, was ze goed gehumeurd en keek ze ernaar uit om na schooltijd Libby's vergadering binnen te vallen. Het meeste genoot ze van Libby's aankondiging erover tijdens de lunch: "Mag ik even, iedereen?" zei Libby gebiedend. Niemand hoorde haar.
Sabrina, Valerie en Harvey zaten aan hun vaste tafeltje, wat betekende dat Libby nog geen meter van hen af stond. Sabrina kon het niet weerstaan om haar een handje te helpen. "Hé, iedereen", riep ze terwijl ze opstond. "Libby heeft iets belangrijks te vertellen!"
Libby keek haar vernietigend aan. "Ik kan zelf ook wel zorgen dat ze hun kop houden, hoor."
"Echt? Het leek er niet op." Toen deed Sabrina net alsof ze geschokt was. "Oh, het spijt me. Je wilde iets zeggen?"
Met een hoofdbeweging kondigde Libby aan: "Als hoofd van de organisatiecommissie van het eindexamenfeest, heb ik besloten om vanmiddag na schooltijd een openbare vergadering te houden. Iedereen mag in een speciaal afgezet gedeelte komen zitten en toeluisteren terwijl de leden van de commissie hun plannen bespreken."
"Wat een geweldig idee", zei Sabrina op luide toon. "Mogen we ook vragen stellen?"
Valerie, die zich altijd liever op de achtergrond hield, greep Sabrina's hand vast en fluisterde: "Waarom zit je haar nou op stang te jagen?"
"Omdat ik dat kan?" opperde Sabrina opgewekt.
Libby hoorde het. "Sorry hoor, maar zo snel ben ik

niet op de kast te krijgen", zei ze stijfjes. "Ja, iedereen mag vragen stellen."
"Of we ook antwoord krijgen is een ander verhaal", mompelde Sabrina.
Ook die opmerking hoorde Libby, maar ze tuitte alleen maar haar lippen. "De vergadering begint om drie uur precies", zei ze. Tegen Sabrina voegde ze eraan toe: "Dat is als de kleine wijzer op de drie staat en de grote op de twaalf."
"Wauw", zei Sabrina tegen Harvey. "En ik maar denken dat ze alleen digitale klokken kon lezen."
Harvey grinnikte. Libby keek kwaad haar kant op.
De rest van de dag vloog voorbij en de lessen waren zo afgelopen. Om tien voor drie haastte Sabrina zich naar het toilet. Libby rechtstreeks confronteren was één ding, dat te doen met warrige haren was een tweede.
Maar toen Sabrina de deur van de toiletten openduwde, duwde hij terug. Toen ging hij op een kier open en gluurde Cee Cee, een van Libby's cheerleadervriendinnetjes, er doorheen. "Privé-vergadering", zei ze. "Ga maar naar de andere toiletten." En ze sloot de deur weer.
Sabrina bleef even stilstaan en vroeg zich af: *Privé-vergadering? Zou Libby een vergadering vóór de vergadering houden? Kon ik maar een vliegje op de muur zijn...*
Sabrina keek naar haar wijsvinger. *Waarom niet?* dacht ze.

Hoofdstuk 4

Pas nadat Sabrina zichzelf in een vlieg veranderd had en onder de deur van de toiletten door was gekropen, realiseerde ze zich dat vliegen en toiletten een smerige combinatie zijn. *Ach*, dacht ze, *zo'n soort vlieg ben ik niet*.

Zoals ze al verwacht had, was Libby daar, omringd door de andere cheerleaders – of beter gezegd, de organisatiecommissie. "Wie stond er voor de deur?" vroeg Libby aan Cee Cee.

"Spellman", antwoordde Cee Cee. "Ik heb haar gezegd dat ze op moest vliegen."

Opvliegen? Da's toevallig! Sabrina probeerde te lachen, maar ontdekte dat vliegen niet kunnen lachen. In plaats daarvan krulde en ontkrulde haar lange zuigorgaan zich heel snel drie keer achter elkaar, en haar vleugels fladderden, waarbij ze een zacht kreukelig geluid maakten. Een overweldigende drang om haar voelsprieten schoon te wrijven liet haar vergeten dat ze zich nog op de vloer bevond – een gemakkelijk doelwit voor een schoenzool van een cheerleader.

Toen Libby zei: "Je kunt maar beter op freakwacht staan bij de deur", en Cee Cee wegliep om daar gehoor aan te geven, besefte ze haar gevaar. Met een luid zoemgeluid sprong ze de lucht in.
Cee Cee zwaaide met haar hand langs haar gezicht. "Iew! Vliegen in het toilet!"
Sabrina zoemde nog een paar seconden rond haar neus en vloog toen naar de muur, ver buiten het bereik, om zich te kunnen oriënteren. Het was niet makkelijk om haar borstelige vliegenlichaam onder controle te houden, en door veelvlakkige ogen kijken hielp ook niet bepaald. Voor Sabrina was het toilet gevuld met zo'n twintig Libby's en evenveel Cee Cee's en Jills en andere cheerleaders. *Wat een nachtmerrie*, dacht Sabrina. *Geen wonder dat vliegen zo paranoïde zijn.* Aan de andere kant was het niet slecht om over een muur te kunnen lopen. Zonder er bewust moeite voor te hoeven doen, voelde Sabrina dat haar minuscule voetjes gewoon bleven plakken waar ze ze maar neerzette, maar ze kon ze ook optillen wanneer ze dat wilde. *Errug cool*, dacht ze. *Spiderman, doe me dit maar eens na!*
"Oké, luister", zei Libby tegen de commissieleden. "Ik heb jullie verslagen zo snel mogelijk nodig. Thema."
Jill zei: "Het Camelot-thema schiet al aardig op. Jij wordt natuurlijk Guinevere, de koningin van het bal, maar ik denk niet dat we echte zwaarden kunnen gebruiken voor het duel."
Zwaarden? Duel? dacht Sabrina geschrokken.
"Als Allen en Darryl gaan vechten om wie er tot

koning gekroond zal worden, hebben we wapens nodig", snauwde Libby.

Jill haalde haar schouders op. "Mr. Kraft heeft dodelijke wapens verboden."

Libby gaf het, overduidelijk kwaad, op. "Oké, koop maar twee nepzwaarden dan. En plan in wanneer ik mijn kroon kan passen, want hij moet wel goed zitten. En hoe zit het met de versieringen?"

"Ik heb hulp nodig", zei Jill aarzelend.

"Kies om drie uur dan wat hulpjes", beval Libby. "Zorg er alleen wel voor dat je geen sullen neemt. Die zijn zo onhandig dat je er niets aan hebt. De versieringen moeten perfect zijn, hoor je me? Ik wil dat dit een eindexamengala wordt dat iedereen zich herinnert."

Libby wendde zich tot Cheri, het excentriekste meisje van de school. "Wordt het al wat met de dansvloer?"

"Ja, man, goed, man, mijn ouwe heeft een houten vlonder ontworpen die we dus in de gymzaal kunnen leggen?" zei Cheri, die haar zinnen altijd als vraag liet klinken. "Hij wordt beschilderd zodat ie, je weet wel, eruit zal zien als de Ronde Tafel?"

"En de danszones?"

Sabrina wreef afwezig met een lange, harige poot over haar bolvormige hoofd. *Danszones?* mijmerde ze, terwijl haar voelsprieten heen en weer zwiepten.

"Mijn pa zegt dat-ie er" – Cheri raadpleegde haar notitieblok voor het juiste woord – "*concentrische* cirkels op kan schilderen. Rood in het midden voor ons en onze partners en een zilveren ring aan de buitenrand voor de, eh, losers? Jij en je spetter dansen in een gouden cirkel in het midden."

Libby knikte goedkeurend. "Goed. Achtergronden voor de foto's?"
Cee Cee reageerde. "Ik heb drie verschillende achtergronden besteld: een kasteelhof voor ons, een boerenhutje voor de nerds en sullen en" – ze kon het niet laten om te lachen – "voor de leraren en begeleiders heb ik een achtergrond met een middeleeuwse keuken erop besteld."
Iedereen lachte behalve Sabrina. Zelfs haar zuigorgaan ontkrulde niet. Ze werd met de minuut kwader.
"Eten?" vroeg Libby.
Een roodharige cheerleader hield haar hand op. "Onder controle. De cateraar weet op welke tafel hij de lekkerste dingen moet zetten en ik heb geregeld dat één van de kelners de freaks op afstand houdt."
"Perfect", vond Libby. "Nu hoeven we alleen nog maar een band van onze lijst te kiezen, dat doe ik morgen."
De meiden applaudisseerden en Libby glimlachte hoffelijk.
"Kom op, nu gaan we naar die openbare vergadering. Onthoud wat ik heb gezegd – geen details. Geef ze niets om bezwaar tegen te maken." Libby zweeg even. "En kijk uit voor Sabrina. Ze ligt nogal dwars de laatste tijd."
Terwijl de groep cheerleaders de toiletunit verliet, wreef Sabrina-de-vlieg vol verwachting in haar harige voorpoten. "*You ain't seen nothing yet*", zei ze met een ietepietig vliegenstemmetje.

Toen ze weer terug in haar menselijke vorm was, vond

Sabrina Valerie en Harvey voor de deur van het lokaal waar de vergadering gehouden werd. Dat Valerie daar was, was geen verrassing, maar Sabrina had Harvey er niet verwacht.
Hij schuifelde met zijn voeten en keek verlegen. "Nou, eh, ik dacht dat als de plannen voor het feest zoveel voor je betekenen, Sabrina, ik ook moest komen – voor morele steun enzo."
"Harvey, wat lief!" Sabrina wilde hem zoenen, maar bedacht dat het niet aardig was om dat voor Valerie's neus te doen, die nog steeds niemand voor het gala had. Tot nu toe had Valerie nog niet de moed bijeen geraapt om Todd Earling te vragen – niet dat Todd door een ander meisje gevraagd zou worden; hij was geen sul, maar hij was ook niet populair. Hij was één van die stille tussenfiguren; iedereen had hem wel eens vaag gezien, maar niemand kende hem echt. Valerie had hem altijd al leuk gevonden, maar ze had alleen nog maar met hem gepraat. Het feit dat Valerie niemand had, maakte Sabrina alleen maar dankbaarder dat ze zo'n gelijkgezinde ziel in Harvey had gevonden. "Dank je", zei ze als antwoord op zijn gala-bezorgdheid. "Ik heb het idee dat we alle steun kunnen gebruiken."
"Waarvoor?" vroeg Valerie nieuwsgierig.
"Eh... om te helpen... als ze hulp nodig hebben." Sabrina dreef haar vrienden naar voren. "Kom op, we gaan naar binnen."
Er zaten al een paar leerlingen in het afgezette gedeelte van het lokaal. Toen Sabrina bij hen ging zitten, kwam Libby met haar entourage binnen en nam voor-

in het lokaal plaats. "Ik verklaar deze organisatiecommissievergadering voor geopend", zei Libby. "Eerste agendapunt: het feestthema."

Een voor een kwamen de cheerleaders met hun verslag, maar alleen Sabrina kende de details die ze angstvallig weglieten. Tegen de tijd dat Jill opstond om over de versieringen te praten, had Sabrina haar vuisten gebald in haar schoot en deed haar kaak zeer van het knarsetanden. Valerie koos net dat moment om te zeggen: "Weet je, ik geef het niet graag toe, maar ze klinken erg goed georganiseerd."

"Je hebt geen idee", fluisterde Sabrina terug.

"Oh, Sabrina, stelde jij je zojuist als vrijwilliger beschikbaar?"

De tienerheks keek op en zag dat Libby haar recht aankeek. "Huh?"

Libby buitte het moment uit. "Ik vroeg net of er vrijwilligers waren die Jill wilden helpen met de versieringen. We hebben in het bijzonder gewone arbeiders nodig om een draak van papier-maché te maken. Je bent geknipt om het rode crêpepapiervuur te maken – daarvoor hebben we iemand nodig die goede kennis heeft van drakenadem."

Sabrina voelde zich net een vulkaan die op het punt stond uit te barsten. Valerie schoot te hulp. "Ik help wel", zei ze. "Ik ben goed in drakenadem." Ze zweeg. "Oh wacht, wat zeg ik nou weer?"

Verscheidene andere leerlingen staken hun hand op om zich ook als vrijwilliger aan te bieden en Sabrina verloor uiteindelijk haar zelfbeheersing. Ze sprong overeind. "Zien jullie dan niet wat er gebeurt? Libby

organiseert allemaal leuke dingen voor de cheerleaders en het footballteam en de rest van ons wordt beduveld! Jullie denken dat jullie met het gala helpen, maar wat jullie in werkelijkheid doen is meewerken aan Libby Chesslers egotrip!"
De cheerleaders begonnen kwaad te tateren, maar Libby stak haar hand in de lucht. "Ik weet niet waar je het over hebt, Sabrina", zei ze kalm.
"Waar ik het over heb, Libby, is dat je jezelf tot koningin hebt verkozen, speciaal eten voor jou en je vrienden hebt besteld en dat ónze eindexamenfoto's voor een boerenhutje genomen zullen worden!"
Op zulke momenten was Libby haar eigen aartsvijand. Ze was zo verbluft dat haar geheime plannetjes ontdekt waren, dat haar gezicht echt lijkbleek werd. De leerlingen in het afgezette gedeelte begonnen achterdochtig te mompelen.
Libby had zich al snel weer onder controle. Met een hooghartige grijns, zei ze: "Als iemand met Sabrina Spellman wil debatteren over normen en waarden, doe dat dan alsjeblieft na afloop van de vergadering. We hebben nu belangrijkere dingen te doen."
"Wat is er belangrijker dan eerlijk zijn?" wilde Sabrina weten. "Ik eis eerlijke vertegenwoordiging – Valerie en ik bijvoorbeeld. Als jullie ons niet tot de commissie toelaten, dan... dan... dan organiseren we ons eigen eindexamengala!"

Hoofdstuk 5

Die mededeling overviel Valerie. “Echt?” zei ze naar adem snakkend.

“Ja”, zei Sabrina. “Dan organiseren we een antigala dat op precies hetzelfde moment plaatsvindt als het eindexamengala.” Opgehitst door de confrontatie, voegde ze eraan toe: “Daarmee basta!” voordat ze besefte hoe mallotig dat klonk.

Opnieuw trok Libby wit weg. Hoe kon ze de baas spelen over de nerds, sullen en freaks op het gala als ze er helemaal niet wáren? Libby kende haar tegenstander goed genoeg om een echt dreigement te herkennen. Vastberaden de crisis te bezweren, zei ze: “Dat is achterlijk. Een antigala bestaat niet, dus kun je er ook geen organiseren.”

“Waarom niet? Er is geen wet waarin staat dat leerlingen het officiële feest moeten bijwonen. Als die van jou ons niet aanstaat, organiseren we ons eigen feestje. Toch, Val?”

Met de uitdrukking van een hert dat door koplampen beschenen wordt, antwoordde Valerie: “Eh... ja.”

"En ik help ze", deed Harvey mee.

Libby voelde de dreiging groeien in plaats van afnemen. "Harvey, je durft toch niet naar een freakgala?" stelde ze. "Niemand zou dat durven."

"Als wij het organiseren, komen ze wel", was Sabrina's weerwoord.

"Je hebt te weinig tijd."

"Dan werken we wat harder."

Libby keek woest. Sabrina wachtte af. Even had ze het gevoel dat ze eigenlijk een revolver aan haar heup zou moeten hebben en in de stoffige hoofdstraat van een wildwest stadje zou moeten staan.

Maar in plaats van zo snel mogelijk tot de aanval over te gaan, ging Libby onderuit in haar stoel zitten. "In tegenstelling tot jou", zei ze, "heb ik veel ervaring met het organiseren van populaire schoolevenementen. Ik weet hoeveel vaardigheid erbij komt kijken en ik zou je niet willen zien falen, wat ongetwijfeld zal gebeuren, dus om je voor de vernedering te behoeden, Sabrina, heb ik besloten dat je lid van de commissie mag worden."

Alles wat Sabrina zei was: "En Valerie ook."

Libby wapperde met haar hand. "Jullie doen maar."

Het laatste wat Sabrina verwachtte te horen, was applaus, maar dat was precies wat nu het lokaal vulde. Iedereen in het afgezette gedeelte was opgestaan en juichte. Sabrina werd rood van trots terwijl het verhaal van David en Goliath op haar netvlies verscheen – alleen had in haar versie Goliath een cheerleader outfit aan.

Libby realiseerde zich dat ze het moment verloren

had, dus stond ze met een stuurs gezicht op. “Vergadering gesloten”, snauwde ze. De commissie liep in een rij het lokaal uit.
Sabrina ging ook op weg naar de deur, achtervolgd door uitroepen als “Super, Spellman!” en “Goed gedaan, Sabrina!” Valerie gaf haar een knuffel. Harvey glimlachte bewonderend.
Sabrina moest toegeven dat ze zich een beetje lichthoofdig voelde. Libby op haar nummer zetten was altijd een karwei, maar dit was anders. Of de andere leerlingen het nu beseften of niet, Sabrina streed voor meer dan alleen het gala. Deze overwinning was niet alleen een uiting van tienerrechtvaardigheid, maar van rechtvaardigheid en gelijkheid in het algemeen.
Het was maar goed dat ze Libby’s zachte opmerking tegen de andere commissieleden niet hoorde: “We laten ze de servetjes wel uitkiezen.”

Sabrina haastte zich naar huis om haar tantes over haar overwinning te vertellen. Nadat ze vrolijk de treden voor het huis op was gesprongen, trok ze de deur open, stormde naar binnen en viel pardoes in een kuil. “Aaaah!”
Het volgende moment lag ze met armen en benen gespreid in de vochtige, pas omgewoelde modder. “Jakkes! Daar gaat mijn blouse.” Ze ging rechtop zitten en bekeek de moddermuren van haar kuil – ze waren twee meter hoog. Het was minder vreemd dan die keer dat ze thuiskwam en het huis vol zat met reuzenspinnen uit het Andere Rijk, maar het was evengoed vreemd zat. “Tante Zelda!” riep ze. “Tante

Hilda! Er zit een kuil in de vloer en ik ben erin gevallen!"
Geen antwoord.
"Joehoe, is er iemand thuis?"
Stilte. Sabrina keek om zich heen en besefte ineens dat ze niet in een kuil zat; het was een lange sleuf. Hij was zo'n twee meter breed en begon bij de voordeur, liep door de hal, rechtstreeks naar de keuken, waar hij bij de ontbijttafel eindigde. En aan het uiteinde ontdekte ze iets angstaanjagends: Hilda, die zo stijf als een standbeeld stond, met glazige ogen en een volkomen lege uitdrukking op haar gezicht.
"Tante Hilda, gaat het?"
"Mpff...mff..." probeerde Hilda te zeggen, en toen gebeurde er iets opmerkelijks – er galmde een bovennatuurlijke bel, overal ontstond groene rook en Hilda veranderde in hout. Nu zo glad als een tafel en zo dik als een exemplaar van *Oorlog en Vrede*, viel ze om en viel plat op haar houten gezicht.
Sabrina schrok zich wild. "Tante Hilda!" Met de grootste moeite kreeg ze haar logge tante weer omhoog. "Jemigdepemig, ze is in een deur veranderd of zoiets! Ik moet haar redden!" Sabrina probeerde niet in paniek te raken en een geschikte toverspreuk te bedenken.

"Eh... – Wat ik je straal,
Maak tante Hilda weer normaal."

Het sloeg nergens op, maar het rijmde tenminste. Sabrina richtte haar vinger op Hilda en verwachtte dat

de bekende stroom van heksenmagie uit haar vinger zou komen, maar er gebeurde niets. Geen rook, geen vonken, niet eens een puffend gekuch. Ze schudde haar hand en probeerde het nog een keer. Niets. "Het ligt niet aan mij, het komt door deze sleuf", besefte ze ineens. "Het lijkt wel een magisch vacuüm."
"Het zou me niets verbazen als het dat ook echt is", zei een bekende lijzige stem. Salems pluizige zwarte kop kwam boven de rand van de sleuf tevoorschijn, zijn grote goudkleurige ogen keken op haar neer. "Ik zou willen zeggen: leuk dat je even komt binnenvallen. Maar je zult de ironie wel niet op prijs stellen."
"Nee, Salem, dat klopt", zei Sabrina. "Waar was je? Heb je me niet horen roepen?"
"Ja en nee", antwoordde Salem omzichtig. "Ik was aan de telefoon met het Afsprakenbureau voor Taakstraffen van het Andere Rijk, dus die kon ik niet echt in de wacht zetten, hè?"
"Oh, maar je kon mij wel hier opgesloten laten staan schreeuwen?"
"Nou, het is nogal druk op dat bureau", zei Salem. "En ik wist toch dat je nergens heen zou gaan."
"Nou, bedankt hoor. Kun je me nu hieruit halen?"
Salem wees naar zichzelf met zijn poot. "*Moi*? Wie denk je dat ik ben, Superkat? Als ik de kracht had om jou hieruit te krijgen, kon ik tonijnblikjes open krijgen – en wat denk je dat ik dan nu aan het doen zou zijn?"
Sabrina gebaarde naar het bovenmaatse graf om haar heen. "Kun je dan op zijn minst uitleggen waarom er een gigantische sleuf in ons huis ligt en waarom Hilda in een stuk hout veranderd is?"

"Hilda heeft hem zelf gemaakt", legde Salem uit. "Zelda ging shoppen en Hilda was zo boos dat ze niet mee mocht dat ze tussen de deur en de keuken heen en weer begon te ijsberen."
"Sabrina's ogen puilden uit. "Ze heeft die sleuf gemaakt door te *lopen*?"

"Het is geen sleuf, het is een sleur. Snap je?"
Nu klonk het logisch, op een bizarre heksenmanier dan. "Tante Hilda zit in een sleur!"
"Precies. Maar ik heb geen idee hoe ze zo stijf als een plank geworden is. Misschien heeft ze zich dood verveeld?" Hij gniffelde om zijn eigen grapje.
Sabrina had het te druk met om zich heen kijken in de sleur om te lachen. "Mijn magie werkt niet in een sleur, de muren zijn te hoog om eruit te klimmen en er is hier niks wat ik kan gebruiken om eruit te komen", zei ze. "Salem, wil je een touw voor me halen?"
"Wat heeft dat voor zin? Ik kan je niet optrekken en ik kan het uiteinde ook niet om een tafelpoot binden." Hij hield een pootje omhoog. "Ik ben maar klein."
Sabrina dacht diep na. "Breng me de telefoon dan even."
"Sorry, ik kan niet bij de draadloze telefoon en die andere is te zwaar voor me. Ik heb geprobeerd push-ups te doen, maar dat gaat niet echt met zo'n sleutel-been."
"Bel jíj dan. Ik weet dat je ermee overweg kunt. Bel de politie. Bel de brandweer. Bel iemand!"
"En wat moet ik dan zeggen?" vroeg Salem verstandig. "Hoi, ik ben een kat en ik moet twee heksen uit

een kuil in de keukenvloer redden? En oh ja, één van die heksen is van hout gemaakt?"
Sabrina moest toegeven dat hij gelijk had. "Wat dacht je hiervan: breng me pen en papier en dan schrijf ik een briefje waarop ik om hulp vraag. Dat kan je dan 'toevallig' op de stoep bij de buren achterlaten en aanbellen."
"Dat gaat niet", zei Salem. "Ik moet nu naar het Andere Rijk om mijn taakstraf te doen. Als ik te laat ben, komt dat op mijn strafblad en je weet hoe smetteloos dat is." Hij liep weg, maar draaide zich nog een keer om. "Nu zie je waarom het zo moeilijk is om uit een sleur te komen."
Sabrina kon niet geloven dat Salem haar gewoon achterliet. "Salem, kom terug! Waag het niet om…"
Een luide bons gevolgd door een vrouwelijke gil onderbrak haar.
"Oh, gelukkig", zei Sabrina. "Volgens mij is tante Zelda thuis."

**
Hoofdstuk 6
**

Sabrina rende naar het andere uiteinde van de sleur en zag Zelda op handen en voeten in de modder zitten, omgeven door een verzameling winkeltassen. "Hemeltje, wat is er gebeurd?" riep Zelda uit terwijl ze naar al die modder staarde. "Ik stapte het huis binnen en brak zowat mijn been!"

De woorden tuimelden Sabrina's mond uit. "Tante Hilda zit in een sleur en onze magie werkt hier niet en Salem weigert te helpen en tante Hilda is in een plank veranderd!"

Zelda keek daadwerkelijk scheel. "Wacht even, rustig aan", beval ze, terwijl ze opstond en zich afstofte. "Probeer het nu nog een keer."

"Ik zei dat tante Hilda in een sleur zit en onze magie hier niet werkt en Salem weigert te helpen en tante Hilda in een stuk hout veranderd is!"

"Ik dacht al dat je dat zei." Ze haastte zich naar Hilda, die nog steeds in dezelfde toestand was als hoe Sabrina haar had achtergelaten. "Och, hemel", zei Zelda, "ik was er al bang voor dat dit zou gebeuren."

Nu begon Sabrina te flippen en ze vroeg: “Wat?!”
“Arme Hilda kan het niet aan om huisarrest te hebben. Ze is zich gaan vervelen.”
Sabrina knipperde met haar ogen. “Vervelen? Is dat het? Ze verveelt zich dood, dus wordt ze zo stijf als een plank? Waarom heeft magie altijd met stomme woordspelingen te maken?”
“Dat is het niet, Sabrina. Wij heksen reageren gewoon op verschillende manieren op stress”, legde Zelda uit. “Hilda kan slecht tegen beperkte vrijheid en goed tegen heel slechte woordspelingen.”
Dat was allebei waar, wist Sabrina. Ze had Hilda altijd haar ‘rusteloze tante’ gevonden en over Hilda en slechte woordspelingen gesproken… nou, Sabrina huiverde bij de herinnering aan die keer dat Hilda last had van woordspelingitis, waardoor iedere woordspeling die ze uitsprak waarheid werd. *Gelukkig heeft ze toen niet geklaagd dat ze het gevoel had dat ze het gewicht van de wereld op haar schouders droeg,* dacht Sabrina. *Wie weet wat er dán gebeurd was?*
“Wat gebeurt er met mij als ik gestrest ben?” vroeg ze. “Breek ik dan doormidden?”
“Kijk maar uit”, waarschuwde Zelda. “Dat zou best kunnen. Je zult je beter voelen als we eenmaal uit deze sleur zijn, maar eerst moeten we Hilda uit de sleur zien te sleuren.”
Samen kregen ze het voor elkaar om de houten heks op te tillen en haar over de rand van de sleur te duwen. Toen haakte Zelda haar vingers in elkaar en gaf Sabrina een voetje omhoog.
Grabbelend door de modder kwam Sabrina er uitein-

delijk uit, maar daarbij verpestte ze wel haar spijkerbroek. Zelda's kleren hadden niet zo veel te lijden, want Sabrina kon haar vrij makkelijk omhoog trekken. "En hoe komen we nu van die sleur af?" vroeg Sabrina.
Ze had de vraag nog maar amper uitgesproken of de vloer repareerde zichzelf op magische wijze.
"Zie je? Dat hoeven we helemaal niet", zei Zelda. "Als je eenmaal uit een sleur bent, houdt het op te bestaan. Maar ons aanvankelijke probleem is nog niet opgelost. We moeten nu gauw een feestje geven."
Sabrina wist niet zeker of ze dat wel goed gehoord had. "Zei je nou dat we een fééstje moeten geven? Nu?"
Zelda zette Hilda rechtop tegen het aanrecht. "De enige manier om Hilda weer normaal te krijgen is haar interesse te wekken en ervoor te zorgen dat ze zich niet weer gaat vervelen. Hilda houdt het meeste van feestjes, dus geven we een feestje."
Sabrina haalde haar schouders op. "Bijna twee weken lang? Cool!"
Zelda schudde haar hoofd. "Of we het al die tijd dat ze huisarrest heeft moeten volhouden, weet ik nog niet, maar we moeten het minstens een paar uur op gang houden. Even kijken..." Met een klein beweginkje van haar vinger toverde ze de keuken om in een paradijselijk eiland, met echte oerwoudplanten die zo uit de vloer groeiden, een bulderende waterval buiten de achterdeur, een kokosnotendecoratie op het aanrecht, kleurrijke slingers, lichten en...
"Apen!" gilde Sabrina toen een groepje harige beest-

jes als bezeten gymnasten van de ene naar de andere boom slingerden. Eentje landde op haar hoofd en trok speels aan haar haren, luid kirrend en krijsend. "Hé, ga van me af!"

Het aapje sprong weg en op hetzelfde moment vloog er in een flits van neonkleuren een enorme papegaai voorbij. Hij landde boven op de rieten hut die nu om de koelkast heen stond en krijste zo hard dat Sabrina haar handen voor haar oren hield.

Zelda bleef met haar vinger wijzen: een reggaeband verscheen en begon te spelen, een hele troep vrolijke gasten vermaterialiseerde en verspreidde zich, en Sabrina had ineens een rieten rokje en een bikinitopje aan. "Dat begint erop te lijken", zei Zelda terwijl ze zichzelf eenzelfde outfit aan flitste. "Maak plezier! Hoe meer plezier wij hebben, hoe meer Hilda met ons mee zal willen doen!" Ze swingde op de muziek.

Sabrina tikte al op de maat met haar voet. "Als ik wild moet feesten in de hoop tante Hilda te redden, wie ben ik dan om er tegenin te gaan?" Met een kreet begonnen zij en Zelda een polonaise die door de keuken, de trap op, door alle slaapkamers en weer terug naar beneden kronkelde. Toen ze weer terugkwamen in de keuken, stond Hilda op hen te wachten, met een rieten rok aan en een grijns op haar gezicht, alle tekenen van stijfheid waren verdwenen.

"Wat een geweldig feest!" riep Hilda uit. "Mag ik voorop in de polonaise, alsje- alsje- alsjeblieft?"

"Ga je gang!" Sabrina gaf haar plaats graag op. De telefoon ging. Ze dacht tenminste dat het de telefoon was. De muziek was zo luid dat het misschien alleen

maar gegons in haar hoofd was. "Ik neem de telefoon wel, tante Zelda!" schreeuwde ze boven de band uit. "Fijn dat je er weer bent, tante Hilda!"
"Fijn om weer terug te zijn!" gilde Hilda, en ze leidde de polonaise weer vrolijk de keuken uit.
Sabrina nam de telefoon op. "Sorry?"
Er werd iets gezegd, maar door al het lawaai kon Sabrina niet horen wat. Ze rende naar de eetkamer en sloot de deur, maar de papegaai was al met haar mee naar binnen gevlogen. "Hallo?" zei ze in de telefoon.
"Sabrina?" Het was Harvey. "Wat een herrie! Klinkt alsof jullie een wild feestje hebben."
"Nee, het is gewoon" – Sabrina dacht verwoed na – "de verjaardag van mijn tante Hilda. Het stelt niet zo veel voor. Ze... is gewoon nogal enthousiast." De papegaai begon net op dat moment zo hard te krijsen dat Harvey het wel gehoord moest hebben. "Dat was geen echte vogel", vertelde Sabrina hem maar gauw. "Het zijn soundeffecten op een cd – een van mijn tantes cadeautjes."
Harvey kreunde. "Dan hebben jullie zeker een heel goede stereo-installatie. Het was zo hard dat mijn oren er zeer van doen."
"Sorry. Maar waarom belde je?" bracht Sabrina het gesprek op iets anders.
"Oh, da's waar ook – ik belde jou." Harveys stem werd somber. "Ik wilde je het slechte nieuws vertellen."
"Oh-oh. Welk slechte nieuws?"
Harvey zuchtte. "Mijn vader kreeg net een geweldig idee. Tenminste, hij vindt het geweldig. Hij heeft me

er op slinkse wijze mee laten instemmen dat ik zijn oude galasmoking naar het eindexamenfeest ga dragen. Hij heeft het jaren bewaard in een zak met stikstof."

"Stikstof?"

"Ja, van zijn verdelgingsbedrijf. Het doodt niet alleen insecten, het conserveert ook kleding. Dus nu wil hij zijn smoking laten luchten en aan mij overdragen."

Sabrina probeerde positief te zijn. "Daar is toch niks mis mee? Ik vind het wel schattig, op een soort van generatiekloofachtige manier."

"Je vergeet wanneer mijn vader naar zijn eindexamengala ging, Sabrina – in het begin van de jaren zeventig."

Sabrina's hoofd tolde. De jaren zeventig. De tijd van disco en haarbanden en schelpenkettingen en… "Hij is toch niet van polyester, hè?"

"Ja dus", gaf Harvey somber toe. "Kobaltblauw. Met een grote gele smiley op het zakje genaaid."

"Ik denk dat ik flauwval." Zelfs Zelda's vrolijke feestversiering en de enthousiaste reggaeband in de keuken konden niet voorkomen dat Sabrina's knieën knikten. "Je kunt niet in een kobaltblauwe smoking naar het eindexamenfeest! Dan lijk je net een Ken-pop!"

Het was moeilijk in te schatten door de telefoon welke emotie Harvey op het moment het sterkste voelde – schuldgevoel of walging. "Ik heb geen keus, Sabrina", zei hij. "Ik heb geprobeerd het uit zijn hoofd te praten, echt waar, maar je kent mijn vader: hij haalt zich iets vreemds in zijn hoofd en dan kan niets hem meer op andere gedachten brengen."

"Maar het is niet eerlijk!" jammerde Sabrina.

"Jij weet dat en ik weet dat", zei Harvey. "Maar híj weet dat niet."

Sabrina wilde verder praten met Harvey, maar de papegaai begon weer te krijsen en de reggaeband zette het geluid nog harder, wat haar eigen somberheid verergerde. Uiteindelijk zei ze maar tegen Harvey dat ze op moest hangen. Haar humeur werd niet beter toen ze de keuken binnenkwam en een briefje in de broodrooster (of beter gezegd, het kokosnootvormige voorwerp dat gedurende Hilda's feestje als broodrooster diende) vond. Sabrina rukte het briefje eruit en ging naar de eetkamer om het te lezen.

Het briefje las zichzelf aan haar voor met Vesta's bekende stem: "Sabrina, lieverd, ik kom morgenavond langswippen om je galakleding te bespreken. Tot dan!"

Sabrina plofte in een stoel neer. "Geweldig. Harvey moet van zijn vader een muffe oude smoking dragen en tante Vesta zal waarschijnlijk proberen mij er in zwart leer heen te laten gaan. Wat zullen wij een mooi stel zijn, zeg."

Sabrina had geen zin meer in feesten.

Hoofdstuk 7

Hilda's feestje ging tot diep in de nacht door, maar Sabrina sloot zich na Harveys telefoontje op in haar kamer. Zelda was na een paar uur totaal uitgeput en ging naar bed. Nadat ze een geluidsdichte barrière om de begane grond had geflitst, liet ze Hilda alleen achter met haar magische gasten.

De volgende ochtend sleepte Sabrina zich uit bed, haar hoofd nog vol met de verschrikkelijke dromen die ze over het gala had gehad, waarin Harvey in een elastische polyester smoking rondliep en Sabrina in een outfit die wel wat voor Catwoman zou zijn. In één droom, stierf ze bijna een verstikkingsdood omdat het leer te strak zat. In een andere droom mocht ze de feestzaal niet in omdat ze te schaars gekleed was en werd Harvey door iedereen uitgelachen. In weer een andere droom werden ze tot koning en koningin van de freaks gekroond en aan een muur gebonden zodat Libby en haar vrienden waterballonnen naar hen konden gooien.

Overbodig te zeggen dat Sabrina slecht geslapen had.

"Wat moet ik doen, Salem?" vroeg ze aan de kat terwijl ze haar make-up voor school opdeed. "Wat voor jurk ik ook draag, Harvey ziet er toch wel uit als een halve gare, dus zien we er allebei uit als halve garen."
De gedachte dat Libby haar uit zou lachen en waterballonnen naar haar zou gooien, was ondraaglijk.
"Dat is een voordeel, misschien wel het enige voordeel, aan kat zijn", antwoordde Salem. "Ik hoef me niet aan te kleden en ik pas altijd goed bij het decor."
"Ja, maar jij hebt vlooien."
"Nou, zie je wel. Geen enkele outfit is perfect."
Sabrina kreeg beneden niet veel meer medeleven. Hilda had ontzettende koppijn van al het gefeest, wat Zelda irriteerde omdat zij nu het hele huis moest schoonmaken. "Ik wist dat er een reden was waarom we geen feesten meer gaven", mopperde ze terwijl ze van kamer naar kamer liep met een grote plastic vuilnisbak die ze tevoorschijn had geflitst om het afval in te verzamelen. Haar gezicht klaarde op toen ze Sabrina zag. "Sabrina, wees eens een engel en flits al die afwas even in de gootsteen. Dan flits ik ze zo wel schoon."
"Waarom doet tante Hilda dat niet?" klaagde Sabrina. "Het was haar feest en ik moet naar school."
Hilda lag languit op de bank als een stervende operazangeres, alleen was haar gekreun niet bepaald muzikaal en hield ze een grote zak ijs tegen haar hoofd. "Het is niet eerrrrrrrrrlijk..."
"Inderdaad", snauwde Sabrina, die met tegenzin borden en kopjes uit iedere hoek van de kamer flitste. "Toen ik naar bed ging, was het huis nog redelijk

schoon."
"Nee, ik bedoel, waarom betekent een heel leuke avond altijd een heel erge hoofdpijn de volgende ochtend?" kreunde Hilda. "Waarom hebben leuke dingen altijd niet-leuke gevolgen? Als je je eten lekker knapperig frituurt, word je dik. Als je chocola eet, krijg je puistjes. Als je een afspraakje hebt, laat hij je zitten."
"Als je je verveelt, verander je in een stuk hout", voegde Sabrina eraan toe, terwijl ze voorzichtig een gebruikt servetje weg flitste.
"Sorry daarvoor nog, trouwens", zei Hilda. "Huisarrest hebben is nooit mijn sterkste punt geweest." Haar van pijn vertrokken gezicht liet nu een glimlach zien. "Bedankt voor het feest, Sabrina. Zelda en jij hebben me gered van een vervelingsdood."
Hilda's verontschuldiging verminderde Sabrina's irritatie. "Het is al goed. Je veranderde niet expres in hout. Ik word op het moment gewoon door een hele hoop dingen geplaagd." Ze gooide het servetje weg, verzamelde de rest van de vuile vaat en flitste het in de gootsteen. "Ik ben klaar, tante Zelda", riep ze naar boven. "En nu moet ik gaan anders mis ik mijn bus."
"Fijne dag op school", zei Zelda. "En laat de apen niet ontsnappen. Ik heb ze nog niet teruggeflitst naar de jungle."
Alsof ze het gehoord hadden, kwam een aantal van de aapjes de gangkast uitgedraafd en rende naar de deur zodat Sabrina hem voor hen open zou doen. "Leuk geprobeerd, jongens", zei ze, en ze wees naar hen met haar vinger en bevroor ze voor tien tellen. In die tijd, glipte ze naar buiten.

Toen Sabrina op school kwam, ontdekte ze dat het daar niet veel beter was. Oké, Valerie en zij zouden vandaag bij de vergadering van de organisatiecommissie zijn, maar Sabrina zag nu al slechte voortekens.
"Goeiemorgen, freaks", begroette Libby hen in de hal. "Oh ja, de vergadering is verplaatst van na schooltijd naar tijdens de lunch. Ik hoop dat je vandaag je eigen lunch mee hebt gebracht, want je zult geen tijd hebben om naar de kantine te gaan." Ze zwaaide haar eigen lunchzakje voor hun neus heen en weer, net als haar vriendinnen. Daarna liepen ze lachend weg.
Sabrina kon niets voor hen tevoorschijn flitsen om te eten, want dat zou Valerie opvallen.
"Misschien mogen we van *Mrs*. Poepiepens wat meenemen", zei Sabrina hoopvol. Maar ze wist niet dat de kantinejuffrouw net op dat moment langsliep.
"De naam is *Poopiepentz!*" gromde de vrouw.
Valerie zuchtte. "Daar gaat onze kans op een meeneemlunch."
Tijdens lunchtijd gingen Sabrina en Valerie met rommelende magen naar het wiskundelokaal van Mrs. Quick voor de organisatiecommissievergadering. De cheerleaders waren er al en zaten smaakvol van een verscheidenheid aan meegebrachte lunches te eten.
"Kijk eens wie ook nog even langskomen", zei Cee Cee, die een overdreven hap nam van een kippenpootje.
"Jullie zijn laat", zei Jill, die op salade uit een plastic slakom zat te kauwen. "Deze commissie houdt er niet van als mensen te laat komen."
Sabrina hield haar opmerkingen voor zich en Valerie

kromp in stilte ineen. De cheerleaders hadden het blijkbaar voor elkaar gekregen om eerder bij hun lessen weg te gaan zodat ze deze stunt konden uithalen, maar Sabrina was niet van plan toe te happen. Ze kon dan misschien geen lunch tevoorschijn flitsen zonder dat het opviel, maar ze kon nog wel doen alsof. "Sorry dat we laat zijn. Val en ik zijn pas net klaar met onze lunch." Ze wendde zich tot Valerie en voegde eraan toe: "Jeetje, wat was die lasagne lekker, hè?"
Gelukkig begreep Valerie het. "Lasagne?" vroeg ze eerst nog met een hongerige uitdrukking op haar gezicht. Toen zei ze snel: "Oh! Ja, de lasagne." Ze deed net alsof ze een boertje moest laten. "Verrukkelijk."
Libby nam hen kritisch op, maar Sabrina glimlachte alleen maar. "Oké", zei Sabrina, "wat staat er op de agenda?"
"Eigenlijk", zei Libby, terwijl ze een half opgegeten broodje kalkoen neerlegde, "zijn alle details al geregeld. We hebben genoeg krachten gerekruteerd voor de draak, en de rest van de versieringen worden door het team van Jill verzorgd. Wat de band betreft: ik heb besloten Mayday Heyday in te huren voor het feest en het Renaissance ensemble van de muziekgroep zal tijdens de kroning en de dans van de koning en koningin spelen."
Valerie deed haar best niet te kwijlen bij het zien van Libby's broodje. "Wacht eens even", zei ze met moeite. "Je wilt Renaissance muziek op een feest met een Camelot-thema spelen?"
Libby kneep haar ogen tot spleetjes. "Hebben nerds

slechte oren?"
"Maar Libby, Koning Arthur leefde helemaal niet in de Renaissance. Hij werd acht- of negenhonderd jaar eerder geboren."
Libby staarde haar alleen maar aan.
Valerie ging verder. "De muziek van die tijd was totaal anders."
Libby staarde.
Valerie begon te hakkelen. "Ik bedoel, eh, dat het historisch onjuist zou zijn, wat eh... je weet wel... historisch onjuist zou..."
Libby staarde.
Valerie kromp ineen en deed een stapje achteruit, zodat ze zich achter Sabrina kon verschuilen. "Laat maar, het was een stom bezwaar."
Libby staarde.
Cee Cee tikte op haar schouder. "Je hebt gewonnen, Libby."
"Wat?" Libby schudde even haar hoofd, alsof ze had staan dagdromen. "Oh, mooi. Goed, aangezien de muziek voor elkaar is, is het enige waar we nog over na moeten denken de servetjes." Ze glimlachte liefjes naar Sabrina. "Dat mogen jullie twee regelen. Jullie kunnen kiezen uit wit en... wit."
Dat was de druppel. Sabrina verloor haar geduld. "En het duel dan?" wilde ze weten.
Libby schrok hevig. "W-wat zei je?"
"Ik hoorde iets over een duel tussen twee ridders die moesten vechten om de eer tot koning van het gala gekroond te worden", zei Sabrina nonchalant. "Ik zou denken dat dat nogal belangrijk voor je is, aangezien

je toch al de koningin bent."
Valerie's mond viel open. "Sabrina, waar heb je het over?"
"Gewoon iets wat ik van een klein vliegje heb gehoord", antwoordde Sabrina, die van Libby's verschrikte gezicht genoot.
"Speciale entertainmentzaken gaan jou niks aan", snauwde Libby. "En vergeet wat je gehoord hebt. Is dat duidelijk?"
Sabrina hief geamuseerd haar handen op. "Ik heb het uit mijn gedachten gewist."
"Wacht", zei Valerie. "Waar hebben jullie het over?"
"Niets." Libby pakte haar halve broodje op en smeet het in haar broodtrommel. "Deze vergadering is gesloten. Bedankt voor jullie komst. Dag."
De cheerleaders verlieten het lokaal.

Sabrina had het gevecht gewonnen, maar was nog geen winnaar. Ze zat met Valerie en Harvey op het gras op de binnenplaats van de school en klaagde: "Dit is zo oneerlijk! Waarom zou ik nog rechtvaardig tegen mensen zijn? Niemand anders is het – Libby niet, Mr. Kraft niet, jouw vader niet" – ze wees naar Harvey – "en vooral de vader van mijn tantes niet." Ze dacht na over hoe Salem haar in de sleur had achtergelaten en dacht bij zichzelf: *Zelfs de kat heeft geen rechtvaardigheidsgevoel*.
"Kom op, Sabrina, zo erg is het nou ook weer niet", zei Harvey, die tijdens een woede-uitbarsting altijd de redelijkheid zelve bleef. "We bedenken er wel wat op."

Sabrina zonk in elkaar. "We bedenken er wel wat op" was Harveys standaardantwoord. "*Jij* bedenkt er wel wat op."
"Trek het je niet te veel aan", zei Valerie. "Zo erg is het niet om afgewezen te worden. Er valt zelfs aan te wennen. En persoonlijk vind ik dat je Libby tot nu toe geweldig aangepakt hebt."
"Inderdaad", deed Harvey mee.
"Maar dat is het nu juist", zei Sabrina. "Ik vind *tot nu toe* niet genoeg. Niemand zou dit goed genoeg moeten vinden. Het organiseren van het gala zou een democratisch proces moeten zijn. Dit is tenslotte Amerika!"
"Ja, precies", klonk een kruiperige stem. "*The land of the free and the home of the brave*, met gelijke kansen voor alle sociale strata." Mr. Kraft kwam achter Sabrina aanlopen en stak boven haar uit. "Heb ik het genoegen om met de Commissie van Triviale Dingen te spreken?"
Sabrina verslikte zich bijna. "De wát?"
"Het kwam mij ter ore dat jullie daartoe benoemd waren", zei Kraft.
Sabrina, Valerie en Harvey keken elkaar aan. "Libby", concludeerden ze in koor.
"Ja, ze zei dat ik jullie hier kon vinden." Kraft had een vel papier in zijn hand. "Aangezien jullie zo graag aan het feest willen meewerken, dacht ik dat jullie deze speciale taak wel zouden willen uitvoeren. Dit is het origineel van een brief die naar de ouders van alle leerlingen van de school gestuurd moet worden. Ik heb besloten om niet alleen begeleiders van de school te rekruteren, maar ook ouders."

Sabrina verschoot van kleur. Ze wist niet wat ze nou erger vond; dat ze zojuist, ongetwijfeld dankzij Libby, een rotklusje had gekregen, of het feit dat het tijdens het eindexamengala zou barsten van de ouders.
Toen Sabrina zich niet verroerde, wapperde Kraft met de brief. "Pak aan! Hij moet vandaag nog verstuurd worden. Je kunt de kopieermachine van het kantoortje gebruiken, daar liggen ook enveloppen en postzegels. Als jullie direct na je laatste les beginnen, moeten jullie ze voor de laatste lichting van het postkantoor af kunnen hebben." Hij liet een gemene grijns zien. "Oké, ik geef toe dat het goedkoper is om de leerlingen te vragen zelf de brief mee naar huis te nemen, maar ik ben niet gek. Geen enkele tiener die ook maar enigszins goed bij zijn hoofd is, zal zijn ouders vragen begeleider op het eindexamengala te worden."
Sabrina nam de brief perplex aan. Kraft kuierde weg.
"Niet te geloven", zei Valerie. "Dit is zo oneerlijk!"
"Wat je zegt", mokte Harvey.
Sabrina kookte alleen maar.

Die avond zat Sabrina op haar bed, uitgeput van het kopiëren, vouwen, adresseren en sturen van honderden brieven na het doorstaan van een volledige schooldag. *Er moet iets zijn wat ik hieraan kan doen*, dacht ze boos. *Er moet een manier zijn om de omstandigheden eerlijker te maken.*
Ze sloeg haar magieboek open en raadpleegde de index. Ze kon niets aan Hilda's situatie doen – dat was Hilda's eigen schuld – en ze werd een beetje nerveus van het idee om magie op Harveys vader te gebruiken.

Maar Libby Chessler? “Het jachtseizoen op cheerleaders is geopend”, besloot Sabrina grijnzend.
Ze vond het juiste toverdrankje en ging aan het werk.

* *
# Hoofdstuk 8
* *

"Heb jij geleerd voor de Engelse toets?" vroeg Valerie de volgende ochtend. Ze klemde zenuwachtig haar schoolboeken tegen zich aan, alsof de informatie uit de bladzijden zou sijpelen, door haar huid zou worden opgenomen en zo naar haar hersenen zou stromen.

Sabrina stond bij haar kluisje en liet geschrokken van Valeries stem het kleine glazen potje bijna uit haar handen vallen. *Niet laten vallen!* dacht ze gealarmeerd, en ze propte hem snel in haar kluisje voor Valerie hem kon zien. "Ik heb wel even geleerd", flapte ze eruit, "maar ik was zo afgepeigerd van die brieven dat ik nogal vroeg naar bed ben gegaan." *Nadat ik dit drankje in elkaar heb geflanst*, voegde ze er in zichzelf aan toe.

Valerie wierp een blik in Sabrina's kluisje. "Wat is dat? Een potje mosterd?"

Sabrina probeerde nonchalant te doen en blokkeerde Valerie's zicht. "Eh, ja, dat is het – mosterd. Dijon mosterd, om precies te zijn. De mosterd van de kantine is zo flauw, vind je ook niet?"

"Is me nooit opgevallen." Valerie zwaaide naar Harvey die aan kwam lopen. "Hoi, Harvey. Heb jij voor de Engelse toets geleerd?"
"Een beetje", antwoordde Harvey, die toekeek hoe Sabrina het glazen potje stiekem in haar jaszak probeerde te stoppen. "Wat heb je daar, Sabrina? Het lijkt wel mosterd."
"Het is Dijon mosterd", legde Valerie uit, waarna ze Sabrina vragend aankeek. "Waarom draag je dat bij je?"
"Eh... ik wil het niet vergeten voor de lunch." Sabrina deed haar kluisje dicht. "Ik zie jullie bij Engels, oké?"
"Oké", zei Valerie. "Dan kunnen we er samen voor zakken."
Sabrina ging haastig op weg. Zigzaggend baande ze zich een weg door de drukte op zoek naar Libby en haar maatjes. Toen ze hen uiteindelijk zag, vluchtte ze een hoek in waarvandaan ze Libby goed kon zien en waar ze zich tegelijkertijd uit het zicht van passanten bevond. Ze nam het glazen potje uit haar jaszak. In het potje kolkte een gelige nevel rond als de gasvormige versie van een lavalamp. *Het heeft inderdaad iets weg van mosterd*, dacht Sabrina, waarna ze haar hand gereed hield om het deksel eraf te halen. Ze herinnerde zich de instructies die ze de vorige avond in haar magieboek had gelezen en zei een aangepaste versie van de activeringsspreuk op:

"Voor iedere nerd, freak en eerlijk kind
sommeer ik een oprecht rechtvaardige wind."

Ze opende het potje.
Met een zachte *woesj* waaide de gele lucht eruit en vervloog totdat het niet meer zichtbaar was. *Nu waait er een Eerlijke Wind* dacht Sabrina. *Eens zien wat dat met Libby doet.*
De Eerlijke Wind waaide langs de cheerleaders en blies zachtjes door hun perfect gekapte haar. Cee Cee keek om zich heen. “Wat is er met het ventilatiesysteem aan de hand?”
“Dat is niet belangrijk”, snauwde Libby boos, “luister naar mij”, en ze praatte verder.
Het duurt vast even voordat het werkt, dacht Sabrina, en ze herinnerde zich wat er in haar magieboek stond: dat het Eerlijke Wind toverdrankje van Boreas en Zonen resultaat garandeerde, hoewel de reactie bij verwaande, egoïstische en zelfgenoegzame mensen meestal pas later op gang kwam. *En Libby is zeker weten verwaand, egoïstisch en zelfgenoegzaam*, dacht Sabrina.
Ze vroeg zich af hoe haar aartsvijandin straks zou reageren. Libby zou waarschijnlijk beginnen met Sabrina vriendelijk te begroeten bij de volgende organisatiecommissievergadering. Daarna zou ze een aantal wijzigingen eisen: geen achterlijk duel, voor iedereen dezelfde hapjes, geen aparte danszones, geen statusafhankelijke fotoruimten, en een eerlijke verkiezing van de koning en koningin van het gala. “Wat zal het een heerlijke wereld worden”, mompelde Sabrina gelukkig tegen zichzelf.
De Engelse les kwam en ging en tot Sabrina’s opluchting was de toets niet zo’n complete ramp als Valerie

voorspeld had. Valerie gaf na afloop zelfs toe: "Ik denk dat ik hem wel goed gemaakt heb, zeker nu Mrs. Reilly ons op het laatste moment die bonusvraag gaf."
"Het is niets voor haar om zo aardig te zijn", merkte Harvey op, "maar het zal wel mijn cijfer redden. De punten van de bonusvraag compenseren alle vragen die ik fout had."
Sabrina wilde net iets zeggen toen ze warme lucht, als van een lentebriesje, voorbij voelde waaien. Mr. Kraft, die net zijn kantoortje in liep, ging met zijn hand naar zijn haar omdat het zachtjes uit model gehaald was. Hij verstijfde halverwege de beweging, alsof hij net op een briljant idee kwam. Hij kwam weer tot leven, draaide zich plotseling om en stevende recht op Sabrina en Valerie af. "Miss Spellman en Miss Birkhead", zei hij, "ben ik even blij dat ik jullie tref. Ik wilde jullie nog bedanken voor het zo efficiënt versturen van al die brieven. Ik vind dat jullie het geweldig doen in de organisatiecommissie van het gala." En met die woorden ging hij terug naar zijn kantoortje, stapte naar binnen en sloot de deur.
Valerie krabde op haar hoofd. "Wat was dat?"
"Ik weet het niet", zei Sabrina, maar ze had geen tijd om erover na te denken, want Todd Earling kwam omzichtig op hen af.
"Eh, Valerie?" zei hij, toen hij schuchter op haar af stapte. "Ik vroeg me af of je met mij naar het eindexamengala wilde. Het is toch nog niet te laat om je te vragen, hè?"
Valerie stikte bijna. "Te laat? Nee! Natuurlijk niet! Ja! Ik ga!" Ze slikte en probeerde verwoed te kalmeren.

"Ik bedoel, natuurlijk, ik ga er graag met jou heen."
Todd knikte. "Mooi. Ik had je al eerder willen vragen, maar ik werd een beetje zenuwachtig bij de gedachte dat ik er goed uit moest zien op het feest tussen alle coole mensen. Maar nu denk ik dat het een goed idee is dat wij nerds onze aanwezigheid kenbaar maken, vind je ook niet?"
"Ehh..." Valerie haalde haar schouders op. "Tuurlijk. Denk ik."
"Mooi." Todd zette een stap van haar af. "Dus ik zie je dan wel?"
"Uh-huh", stamelde ze. "Eh, ik bedoel, ja."
Todd maakte zich uit de voeten, Valerie stond compleet geschokt stokstijf stil en Sabrina's gedachten maalden op volle toeren. Mrs. Reilly's ongewoon aardige bonusvraag, Mr. Krafts onverwachte compliment, Todd Earlings plotselinge interesse in Valerie – er kon maar één verklaring voor zijn. *Maar ik heb de Eerlijke Wind op Libby afgestuurd*, dacht Sabrina. *Kan het zijn dat hij tegelijkertijd andere mensen beïnvloed?*
Het antwoord kwam onmiddellijk. De warme bries waaide weer langs haar en tilde verderop in de hal de rok van een meisje omhoog. Het meisje bracht een geschrokken "Iek!" uit en duwde haar rok weer naar beneden. Desmond Jacobi, een uitzonderlijke droplul, grinnikte.
Wacht eens even – dat is helemaal niet eerlijk! dacht Sabrina geïrriteerd, totdat ze Jacobi's verbaasde gezicht zag toen de Eerlijke Wind zijn loszittende T-shirt oppakte en omhoog rond zijn nek blies. Een

groepje eerstejaarsmeisjes liep toevallig langs en moest giechelen. Desmond greep naar zijn opbollende shirt en trok het weer naar beneden. Sabrina grijnsde. *Oké, dát is eerlijk!*

Harvey stond te lachen. "Ik heb Jacobi nog nooit zien blozen. Moet je hem zien – zijn wangen zijn vuurrood."

Valerie had alles gemist. Ze was nog steeds in shock van Todd Earling. "Hij heeft me gevraagd", bleef ze maar herhalen. "Wat ongelooflijk cool!"

Sabrina zag Libby door de hal lopen. "Ik ben zo terug, jongens", zei ze tegen haar vrienden en ze haastte zich om de cheerleader in te halen. "Libby, kan ik je even spreken over het gala?"

Libby stopte niet met lopen. Ze draaide zich niet eens om. "Nee" was alles wat ze zei.

Sabrina zuchtte. *Nou, dat is duidelijk. De Eerlijke Wind zal wel meer tijd nodig hebben.*

Dus wachtte ze. Later, tijdens de lunch, ging ze bij Harvey aan hun vaste tafel zitten en vroeg hem terloops: "Is je iets ongewoons aan Libby opgevallen?"

"Nee", antwoordde Harvey. "Wat dan?"

"Oh... niets."

Valerie liet haar dienblad boos op tafel zakken en ging zitten. "Het is weer mysterieus eten", mopperde ze. "Wat heb ik toch een hekel aan dit klonterige spul!"

"Dat is de speciale bechamelsaus", legde Harvey uit, en hij schoof een volle vork naar binnen. "Wat mij betreft smaakt het prima."

"Het ziet eruit als een ongelukje bij de scheikundeles", zei Sabrina, die ook niet al te enthousiast was over de kleverige substantie op haar bord. Woensdag stond in de schoolkantine bekend als Mysteriedag – iets met bechamelsaus, maar niemand wist precies wat het was. Waarschijnlijk de restjes van de vorige dag, maar waarom moest Mrs. Poopiepentz het er nou zo smerig uit laten zien?

"Doe er gewoon ketchup overheen", was Harveys gebruikelijke advies. "Dan krijg je tenminste nog wat groente binnen."

Maar Harvey leek de enige persoon te zijn die zoveel ketchup tot zich kon nemen en het overleven. Binnen een paar minuten zat de kantine vol met over het eten zeurende leerlingen. De uitroepen van "Dit is echt walgelijk!" en "Ze kunnen me niet dwingen dit te eten!" en "Iew!" zorgden ervoor dat Mrs. Poopiepentz verscheen.

"Mag ik even jullie aandacht?" brulde ze. "Ik begrijp dat er wat onrust is over het eten van vandaag. Ik ben gevoelig voor jullie behoeften en belangen, dus laat me jullie ervan verzekeren dat de romige substantie op jullie bord is goedgekeurd door de Raad voor Volksgezondheid – *dus eet op!*"

Het gemopper werd luider en Sabrina was bang dat de menigte in opstand zou komen, toen ze een verdacht warm briesje langs voelde waaien. Mrs. Poopiepentz knipperde een paar maal snel achter elkaar met haar ogen en sprak de leerlingen daarna weer toe. "Aan de andere kant, is het niet echt eerlijk om jullie iedere dag varkensvoer voor te zetten, hè?"

De leerlingen, verbaasd over deze plotselinge meningsverandering, stemden behoedzaam in.

"Ik bedoel", ging Mrs. Poopiepentz nadenkend verder, "jullie hebben niks te zeggen over de keuze van eten en drinken van deze instelling."
Nog wat instemmend gemompel.
Mrs. Poopiepentz nam een beslissing. "Hierbij maak ik het begin van een nieuw systeem bekend. Iedere week zal ik jullie bestelling opnemen en maaltijden bereiden die jullie opgeven."
Net op dat moment kwam Mr. Kraft binnenlopen en Sabrina dacht dat zijn ogen uit hun kassen zouden springen. "Wát?" zei hij op schelle toon, en hij nam de kantinejuffrouw terzijde. "Bent u gek geworden?" wilde hij weten, en hij schudde haar door elkaar.
Het warme briesje kwam weer opzetten.
Kraft knipperde met zijn ogen. "Nee, natuurlijk bent u niet gek geworden", antwoordde hij zelf. "Ik vind het juist een geweldig plan!" Hij klapte hard in zijn handen om de aandacht te krijgen. "Oké, kinderen, we doen het zo: jullie mentoren nemen iedere ochtend jullie bestelling op en die wordt aan Mrs. Poopiepentz doorgegeven. En om ervoor te zorgen dat al het eten op tijd en naar jullie wens bereid wordt, zal ik een cateringbedrijf inhuren om te komen helpen. Wat vinden jullie ervan?"
De leerlingen brulden hun goedkeuring.
"Dit is niet te geloven", zei Libby, die was opgestaan om Kraft recht aan te kunnen kijken. "Ik vraag al maanden om een cateringbedrijf voor de cheerleaders, maar u heeft nooit naar me geluisterd."
Kraft keek haar stralend aan. "Nou, nu heb je je zin. Geniet ervan!" Hij en Mrs. Poopiepentz liepen weg.

"Maar het is niet eerlijk!" zei Libby, die achter hen aan rende. "Het was mijn idee! Als iemand gecaterd eten moet krijgen, zijn dat de cheerleaders!"
De menigte joelde haar uit terwijl ze wegliep. Daarna verheugde iedereen zich over het nieuwe lunchplan. Alleen Sabrina was stil en helemaal in de war. Een cateringbedrijf was te cool voor woorden, oké, maar Libby werd nog steeds niet beïnvloed door de Eerlijke Wind. *Hoe kan dat?*

Gedurende de dag was Sabrina er getuige van dat de Eerlijke Wind een gevecht tussen twee leerlingen verhinderde, een ouderejaars zijn snoep met een eerstejaars liet delen en ervoor zorgde dat Jill en Cee Cee Valerie vrolijk gedag zeiden. Maar Libby bleef de goede oude ik-ben-beter-dan-jij Libby. "Ik snap het niet", mompelde Sabrina.
"Wat?" vroeg Valerie.
Ze stonden voor de spiegel in de meiden WC hun haar te kammen. De lessen waren voorbij en het was bijna tijd voor de organisatiecommissievergadering. Sabrina had voorgesteld dat ze zich van tevoren op zouden doffen, niet alleen om zich gelijk te stellen op de cheerleader-opdirkschaal, maar ook om te voorkomen dat Libby weer een geheime vergadering in het toilet zou houden.
Sabrina staarde naar haar bezorgde gezicht in de spiegel. Zou Libby ooit door de Eerlijke Wind beïnvloed worden? Als dat niet zo was, was er geen hoop meer voor het gala. Ze wist ineens wat ze moest doen. "Val, ga jij maar vast. Ik kom er zo aan."

"Oké", zei Valerie, en ze ging.
Toen Sabrina eenmaal alleen was, haalde ze het glazen potje uit haar zak en maakte hem open. Geconcentreerd riep ze de Eerlijke Wind op terug naar haar te komen. Binnen enkele seconden kwam er een warm briesje onder de deur door, pakte samen tot een gelige mist en vloog terug in het potje. Sabrina draaide de dop er weer op. "Misschien moet ik het potje onder Libby's neus openmaken", mijmerde ze hardop, maar schudde daarna haar hoofd. "Nee, te opvallend. En als ik hem nou eens verdubbel. Twee Eerlijke Winden zijn sterker dan één." Maar toen herinnerde ze zich dat het drankje zeven uur moest fermenteren voordat de Eerlijke Wind losgelaten kon worden. Ze had geen tijd om een tweede te maken.
Toen kwam er een fijn lachje op haar gezicht. "Ik weet het. Ik gebruik een verdubbelingsspreuk! Dan hoef ik geen nieuwe te maken." Sabrina wees met haar vinger naar het potje en zei:

"Een tweede Eerlijke Wind bereiden is te veel gedoe,
van de eerste verdubbelen word je veel minder moe!"

Het potje schudde in haar hand, de mosterdkleurige inhoud werd donkerder en kolkte erin rond als een kwade storm. Zonder waarschuwing sprong het deksel eraf en waaide de Supereerlijke Wind door de toiletten. "Wauw, dat is pas een goede verdubbelingsspreuk!" riep Sabrina, en ze keek toe hoe de gele mist oploste en onder de deur door vloog. "Pak haar, tijger!" riep ze hem na. In afwachting van een grappig

uurtje, rende ze naar de vergaderkamer.
Daar zaten Libby en de cheerleaders al te wachten. Valerie was er ook en probeerde te doen alsof ze er niet was. *Alleen Valerie kan zich alleen voelen in een kamer vol mensen*, dacht Sabrina, waarna ze hardop zei: "Sorry dat ik laat ben. Ik moest nog wat lipgloss opdoen."
"Het heeft niet geholpen", zei Libby bot. "Kunnen we nu alsjeblieft beginnen? Wij cheerleaders moeten zo nog trainen."
Sabrina kon zo'n inkoppertje niet weerstaan. "Het zal niet helpen."
Libby keek boos, maar liet de spot over zich heen komen. "Ik verklaar deze vergadering van de organisatiecommissie van het eindexamengala voor geopend. Eerst, een mededeling: aangezien het gala al over drie dagen is, zal de vergadering van morgen de laatste organisatievergadering zijn. Alles is onder controle, dankzij mijn briljante leiderschap."
Valerie stak schuchter haar hand op. "Waarom vergaderen we dan?"
"Omdat ik dat gezegd heb", antwoordde Libby. "En omdat ik..." Ze stopte even terwijl er een warm briesje langsvloog. "Ik wou zeggen dat ik..."
"Je wilde ons over dat duel vertellen wat je gepland hebt", opperde Sabrina, die haar grijns amper kon bedwingen.
Er hing even een gele waas voor Libby's ogen, die weer verdween. Ze glimlachte. "Weet je, ik zat te denken dat het misschien beter is om tijdens het gala een verkiezing voor de koning en koningin te houden.

Leerlingen kunnen hun favorieten nomineren, en de stemming kan gedaan worden door het applaus te meten. Wie het meeste applaus krijgt, wint ter plekke. Dat is wel zo eerlijk, toch?"

Cee Cee knikte in gedachten. "Zeker", stemde ze in.

"Ik kon toch al geen zwaarden vinden die Mr. Kraft zou goedkeuren voor het duel", zei Jill.

"Perfect!" zei Libby. "Oh, en dan nog wat, ik wil graag dat het eten op alle tafels door elkaar gemengd wordt, zo heeft iedereen dezelfde keus en krijgen we allemaal van alles een beetje."

"Staat genoteerd", antwoordde Jill, en ze krabbelde het op haar notitieblok.

"En de, je weet wel, de dansvloer?" vroeg Cheri. "Moeten we die danszones eigenlijk wel houden?"

"Natuurlijk", antwoordde Libby.

Sabrina verstrakte. *De danszones houden? Dat moet ze niet willen; dat is oneerlijk!*

"Het is nog steeds een prima vloerversiering, en misschien kunnen we een danswedstrijd houden. De winnaars mogen dan in het midden in de spotlight dansen."

"Cool!" vielen de cheerleaders haar bij.

Valeries mond was bijna tot aan de grond open gezakt. "Dit is een grapje, hè? Jullie zitten ons te plagen, toch?"

Met een serieuze gezichtsuitdrukking legde Libby haar hand op Valeries schouder. "Doe niet zo paranoïde, Valerie. We zijn je vrienden, en alles is onder controle. We krijgen het beste gala ooit. En aangezien Todd je mee heeft gevraagd, zul je er zelfs bij zijn!"

Valerie kon het niet helpen om daar om te grijnzen. "Ja, dat is zo", zei ze dromerig, voor ze terug naar de werkelijkheid kwam. "Maar ik begrijp nog steeds niet waarom jullie zo... zo... aardig doen."
Libby glimlachte stralend. "Omdat dat wel zo eerlijk is." Ze gebaarde naar de cheerleaders aan haar zij, en zei: "Nu moeten we onze yells voor de wedstrijd van morgen oefenen. Sabrina, Valerie, ik verheug me erop om jullie morgenochtend weer te zien."
"Doeg!" zeiden de cheerleaders in koor en ze gingen weg.
Valerie zat te wankelen in haar stoel en zag eruit alsof ze flauw ging vallen. Sabrina ondersteunde haar. "Zie je, Val? Wij zitten bij de organisatiecommissie en moet je zien wat er gebeurt – Libby Chessler heeft het licht gezien!"

Hoofdstuk 9

De Eerlijke Wind had zijn taak volbracht, dus Sabrina bleef na de vergadering achter om hem weer terug in het potje te doen. Maar toen ze hem probeerde terug te roepen, gebeurde er niets. Toen het half vier was, had ze overal in en rond de school gezocht, zonder succes. Ze maakte zich er verder geen zorgen meer over. In haar magieboek stond dat een Eerlijke Wind meestal zo'n vierentwintig uur aanhield. Als ze morgenochtend weer op school kwam, zou hij dus al weg zijn. Met een leeg potje en in een opgewekte stemming ging ze richting huis.

Toen ze het huis binnen kwam lopen, zaten Hilda en Zelda net een brief te lezen – en niet zomaar een brief. De brief van Mr. Kraft! schrok ze toen ze hem zag.

Hilda knikte. "Wat een gaaf idee, dat we begeleider op het gala mogen zijn." Ze gaf Zelda een por in haar ribben. "Dat zou leuk zijn, hè?"

Zelda bekeek de envelop. "Wat gek. Geen postzegel."

Oh-oh!

Sabrina verschoot van kleur. Haar gezichtsuitdrukking

veranderde van geschrokken naar schuldig en in paniek en eindigde bij een verwoede poging om ongeïnteresseerd te lijken.

Het werkte niet. Hilda zag het. "Sabrina, is er iets?"

Sabrina slikte. "Of er iets is? Nee! Er is niets. Niks aan het handje. Ik ga nu huiswerk maken in mijn kamer." En ze rende naar boven.

Ze sloot haar slaapkamerdeur en wendde zich tot de zwarte kat die op haar bed lag. "Hoe kon dit gebeuren, Salem? Tante Hilda en tante Zelda hebben net een brief gekregen die ik expres *niet* naar ze verstuurd had!"

Salem, die had liggen soezen, tilde zijn hoofd op en gaapte. "Ik ben ooit bestraft voor het stelen van kattenkruid dat ik helemaal nooit op heb kunnen eten."

"Salem, ik ben serieus!"

"Ik ook."

"Ach, laat ook maar." Sabrina begon te ijsberen. "Ik moet niet in paniek raken. Het gedoe met Libby is onder controle, dus het enige waar ik nu nog mee zit zijn mijn tantes die begeleiders op het gala willen worden en Harveys sullige smoking" – haar ogen puilden uit – "en tante Vesta! Oh nee, ik was tante Vesta helemaal vergeten! Ze komt vanavond langs om mijn jurk uit te zoeken!"

"Dat is toch niet zo heel verschrikkelijk?" vroeg Salem. "Je kunt van Vesta in ieder geval niet zeggen dat ze geen modegevoel heeft."

"Dat misschien niet, maar dat is dan ook het enige gevoel dat ze heeft", voegde Sabrina eraan toe, in haar

handen wrijvend tijdens het ijsberen. “Ik moet iets doen, maar wat?”
Salem keek haar aan met zo’n poezelige grijns waar de buren altijd van schrokken. “Waarom gebruik je niet wat van dat Eerlijke Wind-drankje dat je gemaakt hebt?”
Sabrina keek naar hem. “Hoe weet jij dat? Ik had de deur dichtgedaan zodat niemand het kon zien.”
Nonchalant als altijd, likte Salem aan één van zijn poten. “Je moet het loertalent van een kat nooit onderschatten.”
Sabrina dacht na over Salems idee. Normaal gesproken zou ze geen spreuken over Hilda of Zelda uitspreken. Ze waren haar voogden en dat zou gewoon niet netjes zijn. Maar tante Vesta, de ongenode bemoeial?
“Dan moet je wat van de ingrediënten voor me gappen, Salem. Als tante Hilda en tante Zelda mij het allemaal zien pakken, weten ze dat ik iets van plan ben.”
“Terwijl ze weten dat ik altijd iets van plan ben”, zei Salem. “Oké, wat heb je nodig?”
Sabrina opende haar magieboek en ze gingen aan de slag.
Een tijdje later was het drankje klaar en werd Sabrina naar beneden geroepen voor het avondeten. Ze at, maakte de keuken aan kant, probeerde zich een tijdje normaal te gedragen tegenover haar tantes en racete toen weer naar boven om bij het drankje te gaan kijken. “Shit. Het is nog niet klaar en tante Vesta kan ieder moment hier zijn.” Ze kromp ineen toen er een luide donderslag uit de linnenkast kwam. “Nog minder, ze is er al!”

Als Cleopatra die zichzelf aan de massa vertoont, gooide Vesta de linnenkast open en stapte eruit. Gekleed in een nauwsluitende zwarte leren broek, zwarte laarzen en een wijd uitstaand kapsel, leek ze op een combinatie van een motorbabe uit de jaren vijftig en een sensatiezoekster uit 1990. Ze stak haar armen naar haar nichtje uit. “Sabrina, lieverd!”
Sabrina gaf haar braaf een knuffel en één van die irritante luchtzoenen. “Hoi, tante Vesta.”
Vesta wees met haar vinger en een enorme stapel tijdschriften kwam uit de kast zweven. “Ik vond dat we de grootste kledingcatalogi moesten bekijken voordat we ook maar één beslissing kunnen nemen”, zei ze. “Ik ben dol op catalogi. Als het in de mode is, staat het in een catalogus. Kom op.”
Vesta liep al naar beneden, maar Sabrina bleef nog wat achter. Ze haalde snel het potje uit haar zak, opende hem en zei:

“Eerlijke Wind, red me alsjeblieft uit deze puinzooi,
Als Vesta mijn jurk uitkiest, wordt de combinatie echt niet mooi.”

De vaalgele inhoud van het potje lispelde eruit en volgde tante Vesta, maar Sabrina betwijfelde of hij al sterk genoeg was om ook maar enig effect te hebben. *Dan moet ik maar duimen*, dacht ze en tegen Salem in haar slaapkamer voegde ze daar hardop aan toe: “Duimen, jij.”
“Ik ben nog steeds een kat, hoor”, antwoordde hij droog.

Toen Sabrina de keuken binnenstapte, hoorde ze Hilda's stem: "Oh, jippie, daar is onze oudste zus." Ze legde de nadruk op het woord *oudste* en voegde eraan toe: "Oh, en kijk – ze is weer in het leer."
"Hallo, Hilda lieverd", zei Vesta, waarbij ze Hilda met een starre glimlach aankeek die aangaf dat ze het woord *oudste* luid en duidelijk gehoord had. "Zelda, lieverd, hoe gaat het met jou?"
Zelda zwaaide met haar handen, die in ovenhandschoenen verpakt zaten. "Hoi, Vesta. Excuseer mijn gebrek aan handen, ik wilde net wat koekjes uit de oven halen. Wil je er ook eentje?"
"Hemeltje, nee, ik mag maar één keer per week suiker van mezelf." Vesta sloeg op haar perfect platte buik. "Ik moet mijn figuur in vorm houden."
"Als je dat worstenpakje wilt blijven dragen, wel ja", mompelde Hilda.
Sabrina schraapte haar keel. "Sorry, maar ik vind dat ik even duidelijk moet maken dat ik nog niet weet wat voor galajurk ik aan wil en dat ik er nog niet klaar voor ben om vanavond die beslissing te nemen."
"Hoe lang wil je daar in godsnaam nog mee wachten dan?" vroeg Vesta. "Het is vandaag al woensdag. Het gala is toch aanstaande zaterdag?"
"Ja", gaf Sabrina toe, "maar met hulp van magie, heb ik nog zat tijd om te beslissen."
Vesta liep naar de woonkamer met haar stapel tijdschriften achter zich aan. "Je moet iets wat je sociale status kan maken of breken nooit aan het toeval overlaten", adviseerde ze.
"Met andere woorden: ga een jurk uitzoeken", ver-

taalde Hilda.
Met een hete bakplaat in haar handen, zei Zelda meelevend: "Je kunt er niet omheen, Sabrina. Als het om mode gaat, duldt Vesta geen tegenspraak."
"Dit is de vrouw die als kind heeft geprobeerd een Andere Rijk-kledinglijn op de markt te brengen met mij als showmodel", zei Hilda. "Tot op de dag van vandaag doet mijn nek nog steeds zeer van het lange vasthouden van al die poses."
"Je kunt maar beter gebruik maken van haar expertise, want ze laat je toch niet met rust voor je dat doet", zei Zelda uiteindelijk.
Sabrina realiseerde zich dat haar nieuwste Eerlijke Wind-drankje haar niet zou helpen, dus sjokte ze gehoorzaam de woonkamer in.
Vesta had alle catalogi al voor zich open door de kamer zweven. De pagina's sloegen langzaam om terwijl zij van de één naar de ander liep en de foto's bekeek. "Laten we met de belangrijkste zaken beginnen", zei ze. "Wat voor smoking draagt die sterveling van je, die Harvey?"
"Dat is een goede vraag", zei Sabrina, die zich in bochten wrong om een manier te bedenken waarop ze Harveys smokingprobleem niet hoefde te vertellen. "Hij eh... heeft er nog geen een uitgezocht."
Alle catalogi vielen op de grond. "Je maakt toch zeker een grapje?" vroeg Vesta geschokt.
Sabrina grinnikte zwakjes. "Nee. Ik kan mijn jurk niet uitkiezen voordat hij een smoking heeft uitgekozen. Maar het was erg aardig van je dat je even langs bent gekomen..."

"Dit is perfect, Sabrina! Nu kun jíj de toon zetten!" Vesta klapte in haar handen en de catalogi vlogen weer de lucht in, waarna ze op de goede pagina's open gingen. "Oh, nu wordt het nog veel leuker. Nu kunnen we uit allerlei stijlen kiezen!"

"*We*...?"

"Hier, wat vind je van deze?" Vesta wees naar haar en Sabrina had ineens een gebloemde laagjesjurk van chiffon aan met diamanten oorbellen, een diadeem dat echt sterrenlicht uitstraalde en met edelstenen versierde sandaaltjes. "Dit is een originele Louie Sans Nom, een van de grootste modeontwerpers van het Andere Rijk."

Hilda en Zelda kwamen de kamer binnen en wendden ogenblikkelijk hun ogen af. "Jeetje, wat is dat fel!" zei Zelda terugdeinzend.

"Kun je hem niet wat zachter zetten?" vroeg Hilda. "Volgens mij staat mijn netvlies in de fik."

"Te veel?" Vesta wees weer, en de verblindende outfit werd vervangen door een somber bloedrood fluwelen broekpak. "En deze dan? Erg donker en warm van kleur en erg geraffineerd." Ze flitste een manshoge spiegel tevoorschijn voor de neus van haar nichtje. "Wat vind je, Sabrina?"

Sabrina had het te druk met kijken naar de verste hoek van de woonkamer, waar haar onontwikkelde Eerlijke Wind zich als een bleke gele mistbol had verzameld. Hij vervaagde langzaam. *Tot zover mijn drankje*, dacht ze, en ze keek op – recht in de spiegel. "Wauw!" Het fluwelen pak was prachtig, en hij bracht zelfs roodachtige highlights in haar blonde haar naar boven

waarvan Sabrina niet eens wist dat ze ze had. *Wacht eens even, dat is verf*, besefte ze. "Nee, tante Vesta, het is erg mooi, maar het past niet bij me."
Vesta deed haar hand omhoog om weer te wijzen. "Wat dacht je dan van..."
"Wacht!" beval Sabrina.
Tot haar verbazing, luisterde tante Vesta. "Wat is er, lieverd?"
"Tante Vesta, ik vind het echt heel lief dat je dit probeert te doen, maar er zijn een aantal omstandigheden met mijn jurkkeuze gemoeid die ik echt niet kan bespreken. En daarbij, ik heb zelf alles onder controle." Sabrina liep naar de trap. "Ik moet leren voor een toets van morgen. Maar ik beloof dat ik snel een jurk uit zal kiezen, goed?"
Vesta keek toe hoe ze de trap op verdween. "Oh, de arme schat is zenuwachtig. Ik weet precies wat ik voor haar kan doen."
"Haar met rust laten?" probeerde Hilda.
Vesta glimlachte. "Natuurlijk niet. Dat zou het alleen maar erger maken." Met een knip in haar vingers verzamelde ze de catalogi weer in een enorme zwevende stapel en liep naar de linnenkast. "Het was weer geweldig om jullie te bezoeken", zei ze toen ze wegging. "Zeg maar tegen Sabrina dat ze het helemaal aan mij kan overlaten."
Toen ze weg was, slaakte Hilda een zucht. "Nou, je weet wat ik altijd zeg over een groot probleem – misschien gaat het vanzelf weg. Dat deed Vesta tenslotte ook."
"Maar ze had over één ding wel gelijk", zei Zelda.

"Iemand moet Sabrina helpen."
"Nee, je hebt gehoord wat Sabrina zei: ze kan zelf wel een jurk uitkiezen, en ik denk ook dat ze dat zelf moet doen. Het is niet onze beslissing, en ook niet die van Vesta. Ja toch?" zei Hilda.
De twee zussen keken elkaar lange tijd aan.
"Oké, je hebt gelijk", zei Zelda uiteindelijk. "Ik zal me er niet mee bemoeien."
"En ik ook niet", zei Hilda.
Maar wat Vesta zou doen, kon niemand weten.

De volgende ochtend kwam Sabrina op school en ontdekte dat de Eerlijke Wind er nog steeds door de gangen waaide. Eerst raakte ze in paniek, toen ze zich realiseerde dat de verdubbellingsspreuk zijn duur abnormaal had verlengd. Maar ze zag het probleem niet meer toen Mr. Kraft vrolijk naar haar zwaaide, Libby haar opgewekt gedag zei en de mentoren donuts en melk ronddeelden voor de lessen begonnen. Er heerste Rechtvaardigheid, en het was geweldig!
Er was nog maar één ding waar ze zich zorgen over maakte: haar tantes die begeleider wilden zijn op het feest. "Het gekke is, dat ik ze die brief niet gestuurd heb", zei ze tegen Valerie. "Ik heb de adresetiketten gemaakt en herinner me nog heel goed dat ik hun adres ertussenuit heb gehaald voor ik ze aan jou gaf. Misschien was dat een beetje achterbaks, maar ik wilde niet dat ze er iets vanaf wisten. Dus begrijp ik niet hoe ze toch een brief hebben kunnen krijgen."
"Die heb ik bezorgd", vertelde Valerie haar nuchter. "Het zou tenslotte niet eerlijk zijn als de ouders van de

rest van ons op het feest zijn en die van jou niet. Ik heb gisteren na de vergadering een brief bij jullie door de brievenbus gedaan."

Terwijl ik door de school aan het rennen was op zoek naar de Eerlijke Wind, dacht Sabrina. Ze begon boos te worden, maar bedacht zich toen. Valerie had duidelijk onder de invloed van de Eerlijke Wind gehandeld. *Oké, misschien is niet álles beter als het eerlijk is*, dacht ze. *Maar dit was mijn eigen schuld, dus ik los het zelf op.*

Haar eerste les was wiskunde, en ze zouden een toets krijgen. Hoewel ze de vorige avond geprobeerd had ervoor te leren, had Sabrina zich niet kunnen concentreren – helemaal toen Salem begon te mauwen in zijn slaap. Dus nu haastte ze zich naar het lokaal en maakte gebruik van de paar kostbare minuten voor de bel ging.

De andere kinderen kwamen binnen en toen het geluidsniveau te hoog werd, gaf Sabrina het op. "Ik zal met een vredig, kalm hart ten onder gaan", zei ze filosofisch, en ze sloot haar boek.

Harvey, die een paar tafels verderop zat, stak zijn duimen naar haar op. "Goeie instelling, Sabrina. Als je gedoemd bent om te falen, doe het dan in ieder geval vrolijk. Dat is ook mijn bedoeling."

De bel ging en Mrs. Quick kwam het lokaal binnen met de wiskundetoets onder haar arm. "Goeiemorgen allemaal. Zoals jullie weten, hebben we vandaag een toets."

Iedereen kreunde.

"Ik hoop dat jullie allemaal goed geleerd hebben, want

hij is flink, hoewel ik niet denk dat hij al te moeilijk is." Mrs. Quick zweeg even toen er een warm briesje door het lokaal ging. "Hemeltje, heeft iemand het raam open laten staan?"

Sabrina wist precies wat er aan de hand was, maar ze zei niets. Ze duimde en hoopte: *misschien laat ze de toets zitten omdat hij niet eerlijk is.*

"Nou, hoe dan ook", zei Mrs. Quick, "ik zei dus dat hij niet al te moeilijk is. Maar om het eerlijk te maken, heb ik besloten er een openboektoets van te maken."

De leerlingen juichten. Sabrina haalde haar schouders op. *Oké, dat moet lukken.*

"Maar alleen voor de domme leerlingen", ging Mrs. Quick verder. "Die hebben alle hulp nodig die ze kunnen krijgen. Slimme leerlingen als Sabrina Spellman zouden voor dit proefwerk zonder hun boek een voldoende moeten kunnen halen. Is iedereen het daarmee eens?"

"Wat?" riep Sabrina. "Wacht eens even..."

"Oh, je kunt het wel, Sabrina." Mrs. Quick legde een blaadje op Sabrina's tafel. "Ik heb vertrouwen in je."

Ze deelde de rest van de blaadjes uit en alle andere leerlingen openden vlug hun boek. Sabrina ging aan de slag, ziedend van de onrechtvaardigheid ervan. *Na de les grijp ik die Eerlijke Wind en stop hem terug in zijn potje!* beloofde ze zichzelf.

Het was geen grote uitdaging om de Eerlijke Wind te vinden.

Na de wiskundetoets stapte Sabrina het lokaal uit en zag een menigte leerlingen aan de andere kant van de gang. Er begon iemand op een trommel te slaan, er was een stel bekkens te horen en de menigte ging uit elkaar om Gordie en Trudy erdoor te laten, de twee ergste nerds van Westbridge High School. Ze hadden allebei een megafoon in hun hand en ze praatten om beurten terwijl de alles verklarende Eerlijke Wind voorbij suisde.

"Het is tijd voor een revolutie!" loeide Gordie.

"Het wordt tijd dat Westbridge High de ware geest van democratie en gelijkheid gaat uitdragen!" schalde Trudy.

"Het wordt tijd voor *eerlijk* leiderschap op Westbridge High!" schreeuwden ze in koor.

De menigte joelde instemmend.

Sabrina slikte. "Oh-oh."

* *

Hoofdstuk 10

* *

"Leden voor de Leerlingenraad verkiezen op basis van hun populariteit is oneerlijk!" bulderde Trudy door haar megafoon. "Wij eisen nieuwe verkiezingen!"
"Eerlijke verkiezingen!" voegde Gordie eraan toe.
"Gebaseerd op vaardigheid, niet op beroemdheid!"
"Waarom zouden we tot volgend jaar wachten? Wij willen nú democratisch leiderschap!"
De menigte begon op het ritme te scanderen en te klappen. "Nu! Nu! Nu! Nu!"
Sabrina kon alleen maar verschrikt toekijken. Gordie en Trudy zaten al in de Leerlingenraad – Gordie was penningmeester en Trudy secretaris. Dat waren de posten voor sullen, want de andere leerlingen van de raad hadden een hekel aan wiskunde en aan notuleren. Gordie en Trudy waren altijd meegaand en goedaardig geweest, maar nu waren ze regelrechte actievoerders. Hun geluidssterkte verbaasde Sabrina, die de verlegen, kleine Trudy nog nooit iets had horen zeggen dat harder was dan gefluister.
Plotseling voelde Sabrina de Eerlijke Wind voorbij

razen – nu veel sterker en zijn kolkende geelheid was bijna zichtbaar. Ze hield haar rok vast terwijl Harvey met gebalde vuist zijn arm in de lucht stak en schreeuwde: “Nieuwe verkiezingen.”

“Au!” zei Sabrina. “Wil je alsjeblieft niet zo in mijn oor schreeuwen!”

“Sorry.” Harvey liep met grote passen op de menigte af en schreeuwde: “Nu! Nu! Nu! Nu!”

“Ik heb een monster tot leven geroepen” prevelde Sabrina. “Ik moet dit stoppen.” Ze stak haar hand in haar zak, maar kwam erachter dat het potje nog in haar kluisje zat. “Fantastisch.” Ze zwaaide wild naar de menigte. “Hé, iedereen? Doe geen domme dingen tot ik terug ben, oké?”

Ze luisterden niet naar haar, ze luisterden naar Gordie die hun verkiezingsprogramma aan het samenvatten was. Sabrina hoorde zijn stem door de gang echoën terwijl ze naar haar kluisje sprintte. “Ons eerste punt zal toiletgebruik zijn”, brulde Gordie. “Het is veel eerlijker als de meisjes meer wc’s krijgen dan de jongens. Bij de jongens wc’s staat nooit een rij, maar bij die van de meisjes wel.”

Trudy hield haar megafoon bij haar mond en voegde eraan toe: “Volgende: nerdmeisjes krijgen hun eigen wasbak en spiegel, zodat we geen last meer hebben van de cheerleaders, die zo lang bezig zijn met opdirken dat wij nooit de kans krijgen om onze handen te wassen.”

De menigte joelde haar goedkeuring.

“Nerds en sullen moeten ook een eigen gedeelte in de kantine krijgen”, verkondigde Gordie. “We hebben er

genoeg van dat er altijd maar *per ongeluk* dingen over ons heen worden gemorst."
"Van nu af aan, zullen alle leerlingen de nerds als populaire kinderen behandelen."
"En iedereen wordt automatisch lid van het scheikundeclubje!"
Weer bulderde de menigte goedkeurend. Sabrina deed zo snel als ze kon haar kluisje open en rommelde erin op zoek naar het potje, terwijl ze dacht: *Die ideeën lijken misschien eerlijk, maar ze zijn aan de andere kant ook wel erg extreem*. Maar niemand protesteerde. Toen ze weer terugkwam bij de menigte, zag Sabrina zelfs dat de cheerleaders een rij hadden gevormd en riepen:

"We willen verkiezingen,
Nieuwe, eerlijke verkiezingen!
We willen ze nu
het maakt ons niet uit hoe!"

Iedereen nam de leus over tot de omroepinstallatie van de school krakend begon: "Attentie alle leerlingen. Attentie alle leerlingen." Het was de stem van Mr. Kraft.
Het geschreeuw stierf weg.
Mr. Kraft ging verder: "Aangezien hij een rechtvaardige en eerlijke man is, heeft Directeur LaRue besloten noodverkiezingen voor de Leerlingenraad te houden. Gordie zal op de lijst voor voorzitter van de Leerlingenraad staan en Trudy op die van vice-voorzitter. Iedereen die ook voor rechtvaardigheid en eer-

lijkheid is, moet een stap naar voren zetten!"
Iedereen in de gang deed een stap vooruit. Toen ze beseften wat ze gedaan hadden, moesten ze allemaal lachen.
"Volgende week vrijdag zullen de verkiezingen gehouden worden", zei de stem van Mr. Kraft, en daarna viel de omroepinstallatie stil.
Terwijl de leerlingen weer begonnen te juichen, hield Sabrina haar potje open en riep de Eerlijke Wind in stilte op. Niets. *Kom op, rotwind, ik heb je gemaakt! Kom hier!*
Niets.
Een paar van de footballspelers tilden Gordie en Trudy op hun schouders en droegen ze onder luid geklap en gejuich door de hal. Sabrina zag een vage gele materie heen en weer door de menigte vliegen. Niemand leek het te merken als de wind door hun haar woelde of hun rok opbolde. Sabrina probeerde de wind weer te sommeren, wees hem zelfs met haar vinger recht aan, maar er gebeurde niets. Alsof hij een eigen wil had, negeerde de Eerlijke Wind haar.
Harvey rende met de menigte mee tot een stem hem aan de grond nagelde. "Kinkle!" Het was de worstelcoach, die Harvey in de ogen keek en zei: "Kinkle, ik heb besloten dat je bij het team mag komen spelen. Dat is wel zo eerlijk, want je hebt zo hard je best gedaan bij de try-outs. Ik verwacht je morgen op de training."
Harvey straalde van plezier. "Yes!" Hij wendde zich tot Sabrina. "Wauw, heb je dat gehoord, Sabrina?"
"Jazeker", zei Sabrina, die zich afvroeg of dat wel

zulk goed nieuws was. Harvey vond worstelen leuk, maar hij was er nou eenmaal niet zo heel goed in. *Hij zal worden afgeranseld!* dacht ze.

Valerie rende naar haar toe, zo breed glimlachend dat Sabrina dacht dat haar gezicht kapot zou scheuren. "Sabrina, je raadt nooit wat er gebeurd is! Libby heeft me net gevraagd of ik bij de *basis* van de cheerleadergroep wilde. Geloof je dat? Dat betekent dat ze me graag mag! Ik hoor eindelijk bij het populaire kliekje!" Ze ging zachter praten. "Maar wij blijven toch evengoed vrienden?"

Sabrina knikte. "Tuurlijk."

"Oh, gelukkig." Valerie gaf haar een stevige knuffel terwijl net alle andere cheerleaders aan kwamen snellen, buiten adem van alle opwinding.

"Valerie, we moeten onze nieuwe yell oefenen", zei Cee Cee.

"De basis – alléén de basis – zal vanmiddag na schooltijd de schaakclub aanmoedigen", zei Libby.

Valerie keek alsof ze flauw ging vallen. "Het lijkt wel of ik droom!"

Sabrina gooide haar hoofd in haar nek. "De schaakclub?"

"Dat zei ik, ja", bevestigde Libby. "Het is wel zo eerlijk als wij cheerleaders alle schoolactiviteiten steunen, niet alleen de atleten, ja toch?"

"En ik heb een nieuwe yell geschreven", zei de opgesmukte Cheri. "Willen jullie hem horen? Klaar, en...

"Kastelen, pionnen en paarden,
Puntige stukken, koninginnen en koningen,

Zet die stukken maar klaar
Spring over die vakjes en scoren maar!
Gooooooooooo team!"

De cheerleaders applaudisseerden. "Uitstekend", zei Libby. "Kom op, meiden." En ze holden allemaal weg, inclusief Valerie.
Binnen enkele seconden was de gang leeg. En wat nog gekker was, het was helemaal stil. Sabrina stond daar maar, verbijsterd. "Oh jee, ik zit in de penarie."

Het verdubbelen van de Eerlijke Wind was een slecht idee geweest. Oké, Libby was nu vriendelijker tegen anderen dan Sabrina ooit voor mogelijk had gehouden, maar de rest van de school draaide voor haar neus totaal door.
Ze flitste zich naar huis om haar magieboek te raadplegen. Pas toen ze de instructies voor het Eerlijke Wind-drankje nog eens heel aandachtig doorlas, zag ze de kleine lettertjes onderaan de pagina. Er stond: "Geen andere ingrediënten gebruiken. Gebruik niet te veel. Niet langer dan een week bewaren." En in rode letters stond er: "*Waarschuwing*: Gebruik geen verdubbelingsspreuk om het effect te versnellen."
Ze draaide zich om naar Salem, die op haar bureau zijn buik zat te wassen. "Waarom heb je niet gezegd dat dit er stond?" wilde ze van hem weten.
Salem keek midden in een lik op met zijn tong nog uit zijn mond. "Wasseg ghe?"
"Je zei dat je naar binnen was geslopen en gezien had dat ik het Eerlijke Wind-drankje maakte. Waarom heb

je me niets over deze waarschuwingen verteld?"
Salem stak zijn tong terug in zijn mond. "Sorry hoor, maar zelfs ik kan zulke kleine lettertjes niet vanaf de andere kant van een kamer lezen. Mag ik vragen waarom jíj die waarschuwingen niet gelezen hebt? Het is tenslotte niet de eerste keer dat je die fout maakt. Wat een goede heks zul jij worden zeg; eentje die na iedere spreuk 'Oeps!' roept."
"Oké, oké, dus ik ben een beetje lui en heb niet de hele bladzijde gelezen", snauwde Sabrina gefrustreerd. "Maar wat moet ik nu?"
"Je zult de Eerlijke Wind terug moeten roepen."
"Dat kan ik niet. Hij luistert niet meer naar me."
Salem schudde zijn hoofd. "Niet zo best. Als je eenmaal de controle over een wind verloren hebt, is hij behoorlijk moeilijk te vangen. Ik denk dat er niets anders op zit dan te wachten tot hij zichzelf uitblaast."
"En hoe lang duurt dat?"
"Aangezien je hem in kracht verdubbeld hebt, wat een Eerlijke Wind-drankje vervijfvoudigt, gok ik dat hij nog wel een weekje door de school zal razen."
"Een wéék?" Sabrina zakte door haar knieën. Gelukkig stond er een stoel achter haar, waar ze netjes in landde. "Ik kan niet nog een week wachten. Het gala is aanstaande zaterdag. En er zullen ouders bij zijn." Haar hart sloeg een slag over. "Oh nee, tante Hilda en tante Zelda zullen er ook bij zijn! Zij mogen niet door de Eerlijke Wind beïnvloed worden. Als ze erachter komen dat ik dit drankje gemaakt heb, vermoorden ze me!"
"En dat zullen ze dan nog wel zo eerlijk vinden ook",

merkte Salem op. “Volgens mij heb je een probleem.”
Sabrina keek de kat boos aan. “Moet je dat nou zeggen?”
“Laat me dan alleen nog dit zeggen: heb je wel eens van het Terugdraaidrankje gehoord?”
Sabrina dook in haar geheugen. “Nee.”
“Dat is iets wat heksen kunnen doen als een drankje mislukt. Als er geen andere manier is om het op te lossen, brouw je een Terugdraaidrankje – dat wil zeggen, je maakt het drankje nog een keer, maar je gebruikt de tegenovergestelde ingrediënten. Het is de bedoeling dat je het drankje dan op zichzelf loslaat om hem te neutraliseren.”
Het zat Sabrina niet lekker. “Weet je zeker dat dat legaal is?”
Salems oren draaiden plat tegen zijn kop. “Hé, ik ben hier degene die de wereld probeerde te veroveren. Je moet mij niet vragen wat legaal is en wat niet. Vraag me alleen maar of het werkt.”
“Werkt het?”
“Ik weet het niet. Ik ben nog niemand tegengekomen die het lef had om het uit te proberen.”
Sabrina nam de lijst met ingrediënten voor de Eerlijke Wind in zich op. “Nou, ik heb geen keus. Ik zal dat Terugdraaidrankje moeten maken.”

* *

Hoofdstuk 11

* *

De volgende ochtend was Sabrina een uur te vroeg op school om het Terugdraaidrankje los te laten. Hij was niet moeilijk te maken geweest, maar hij had wel bijna de hele nacht nodig gehad om te fermenteren, net als het originele Eerlijke Wind-drankje. Nu had ze een glazen potje vast met een kolkende *paarse* wolk erin. Terwijl ze het deksel los draaide, zei ze de activeringsspreuk op die de nieuwe wind achter de Eerlijke Wind aan zou sturen.

"Waar je ook bent en wat je ook doet,
Dit Terugdraaidrankje weet wat hij met je moet."

Ze tilde het deksel op.

De Terugdraaiwind steeg als een paarse geest uit het potje op, de lege gang in, en vervloog daarna, maar niet helemaal, zodat Sabrina hem nog kon zien. Ze volgde hem een andere gang door, de trap op en een hoek om.

Er kwam een warme bries voorbij. *Dat is de Eerlijke*

Wind! Grijp hem, Terugdraaiwind!

De twee winden kwamen elkaar tegen, en de Eerlijke Wind vlamde schitterend geel op terwijl de Terugdraaiwind prachtig paars opflakkerde. Er kwam een regenboogkleurige flits en de gang schudde van het gedonder. Zo'n gewelddadige reactie had Sabrina niet verwacht, ze werd bijna omver geworpen. *Ik hoop dat de conciërge niet in de buurt is. Hij zal denken dat de school wordt aangevallen door marsmannetjes!* dacht ze, terwijl ze achterover tegen een paar kluisjes leunde.

De twee winden zweefden rond en door elkaar als nevelige worstelaars die probeerden hun glibberige tegenstander in een greep te krijgen. Er schoten magische vonken alle kanten op toen ze elkaar aanraakten en Sabrina begon zich af te vragen of de Terugdraaiwind wel zou winnen. De originele Eerlijke Wind leek feller en sterker dan ooit.

Plotseling vormde zich een mond in de nevelige gele diepten van de Eerlijke Wind. De mond ging wijd open en slikte de paarse Terugdraaiwind in één slok op. Met een hoorbare boer vervaagde de kleur van de Eerlijke Wind en werd de wolk een aparte combinatie van vage gele en paarse strepen. Sabrina kon de wind nu voorbij zien waaien, en hij voelde warmer en krachtiger aan dan ooit tevoren.

Ze fladderde met haar handen door de lucht, een nutteloos gebaar dat voortkwam uit totale hulpeloosheid. "Het heeft averechts gewerkt! Ik moet hem stoppen!" riep ze en ze holde erachteraan.

Twintig minuten later zat Sabrina in haar eentje in de

lege schoolkantine met een blikje frisdrank in haar hand die ze uit een machine had gehaald. De Eerlijke Wind was aan haar ontsnapt. Ze wilde niet toegeven dat ze geen idee had wat ze ermee had moeten doen als ze hem gevangen had – het ging op dat moment om de achtervolging. Nu probeerde ze op adem te komen en een strategie te verzinnen. Helaas zou de school al bijna beginnen. Er kwamen al leerlingen binnen en daarmee werd de kans op een ramp steeds groter.

Met een diepe zucht hees Sabrina zich omhoog en sjokte naar haar kluisje. Ze had hem amper open toen Harvey aan kwam lopen met zijn rechterarm in een mitella. "Harvey, wat heb je gedaan?" vroeg ze geschrokken.

"Ik heb me bezeerd", zei hij tegen haar op zijn simpele, rechtstreekse manier.

"Dat zie ik", zei Sabrina, die hem naar zijn kluisje volgde. "Maar hoe? Toch niet bij de worsteltraining?"

Aangezien Harvey zijn boeken met zijn goede arm vasthad, tilde hij het handvat van zijn kluisje met zijn tanden op en duwde het open met zijn hoofd. "Ja dus, maar niet tijdens het worstelen", legde hij uit. "Toen alle jongens van het team me feliciteerden omdat ik mee mocht doen, hebben ze me nogal veel op mijn schouder geslagen. Ik denk dat hij uit de kom is."

Sabrina wist niet wat ze moest zeggen, maar gelukkig hoefde ze niks te bedenken. Valerie kwam op haar af gehuppeld in haar groen met witte cheerleaderpakje, compleet met pompons. "Twee, vier, zes, acht, tien, wie willen we zien?" yelde ze. "Iedereen! Yeeeeeh!"

"Hoi, Val", zei Sabrina, terwijl ze probeerde zich niet

verraden te voelen bij het zien van haar beste vriendin in de officiële kleding van de vijand. Ze betwijfelde of ze er ooit aan zou kunnen wennen.
"Hé, hallo, hoe gaat-ie met jou? De geest van Westbridge is hier voor jou. Yeeeeeh!"
Sabrina had Valerie nog nooit zo gelukkig gezien. "Je ziet er goed uit, Val, echt waar. Je past goed in de basis van de cheerleadergroep."
Terwijl ze haar pompons schudde en ronddraaide, riep Valerie: "Dank je wel, dat is precies wat ik ook vind. En dan nu een yell voor mijn beste vrind. We hebben een S, we hebben een A, we hebben een B..."
"Oké, oké, nu is het wel genoeg. Kun je even stoppen met springen, zodat ik met je kan praten?"
"Sorry, sorry, dat gaat niet! Tijd om te praten heb ik niet! Ik oefen nog een tijdje door, want yellen is best moeilijk hoor!" En weg stuiterde ze, al schuddend met haar pompons en yellend door de gang.
"Fijn. Ik heb een rijmverslaafde gecreëerd", kniesde Sabrina. "Niet te geloven. Ik moet toch íéts kunnen doen?"
"Je kunt zeker iets doen", zei Mrs. Reilly, die naar haar toe schreed. "Je kunt dát van Harris z'n rug afhalen."
Sabrina keek waar de lerares Engels naartoe wees en zag dat iemand een stukje papier met *Schop Me* erop op de rug van William Harris had geplakt. William was een van de vervelendste gozers van de school. Sabrina trok het eraf zonder dat hij het door had en begon het te verfrommelen, toen Mrs. Reilly haar tegenhield. "Nee, nee, je moet hem bij míj opplak-

ken!" Ze draaide zich om zodat Sabrina bij haar rug kon. "Als hij moet lijden, is het wel zo eerlijk als ik ook lijd."
"Mrs. Reilly, ik denk echt niet dat..."
"Spreek me alsjeblieft niet tegen. Plak hem er nou maar op."
Sabrina gehoorzaamde, waarbij ze zich afvroeg of er echt iemand zou zijn die het lef had om de lerares Engels te schoppen. *Het zou wel zo eerlijk zijn*, dacht ze, maar durfde het niet hardop te zeggen.
Mrs. Reilly strekte haar arm naar achteren om zich ervan te verzekeren dat het papier goed vastzat. "Dank je, Sabrina. Ik voel me al veel beter."
Toen Harvey toekeek hoe de lerares wegliep met *Schop Me* op haar rug, bewoog hij bewonderend zijn hoofd op en neer. "Dat, Sabrina, is een buitengewone vrouw."
"Een buitengewone gek, bedoel je."
"Wat?"
"Oh, laat m..." Sabrina hield op met praten toen ze iemand hoorde gillen. Ze draaide zich vliegensvlug om en zag een verbazingwekkend schouwspel: één voor één werden de bezittingen van leerlingen zo uit hun handen geblazen. Boeken vlogen tegen het plafond, papieren strooiden overal rond en tassen, kammen, portemonnees en petten zeilden buiten bereik. "Het is de Eerlijke Wind!" Sabrina hapte naar adem terwijl ze vage vormen van een geelpaarse mist zich een weg door de menigte zag banen. "Die is absoluut niet eerlijk meer – hij is op hol geslagen!"
"Tegen wie praat je, Sabrina?" vroeg Harvey vriendelijk.

Sabrina greep haar eigen haar vast. "Mijn onzichtbare vriendje!" flapte ze eruit en ze ging in volle vaart achter de Eerlijke Wind aan – of, beter gezegd, in de richting die de Eerlijke Wind op was gegaan. *Er moet toch een manier zijn om er vanaf te komen voordat Westbridge High een aflevering van Onverklaarbare Natuurverschijnsels wordt?* dacht ze woest.

Toen kwam ze op een idee. In haar magieboek stond dat de Eerlijke Wind alleen die mensen kon beïnvloeden die zijn invloedsbereik binnen gingen. Met andere woorden, aangezien de Eerlijke Wind in de school was losgelaten, was dat de enige plek waar hij werkte. *Dus hoef ik hem alleen maar een raam uit te blazen!*

Ze verlaagde haar snelheid en flitste een grote ventilator in haar handen, daarna dook ze een hoek in om de terugkomst van de wind af te wachten. Ze had zich nog maar amper opgesteld, of hij kwam al terug, misschien nieuwsgierig waarom ze niet meer achter hem aanzat. Ze gluurde de hoek om en zag de vage geelpaarse mist op ongeveer drie meter afstand zweven. Ze wist dat zich niet ver achter de mist een deur bevond die naar de binnenplaats leidde, dus greep ze de ventilator stevig vast met een vinger op het aanknopje. *Nu of nooit, Sabrina!*

Ze sprong tevoorschijn en deed de ventilator aan. "*En garde*, stomme wind!" schreeuwde ze.

Er gebeurde niets. Ze was vergeten de stekker in het stopcontact te doen!

Terwijl ze een gefrustreerd gegrom uitbracht, wees Sabrina naar de ventilator. Eén snelle magische vonk en de ventilator werkte zonder elektriciteit. Sabrina sprong achter de Eerlijke Wind aan en begon hem de gang door te blazen terwijl het losse snoer van de ventilator als een lange staart achter haar aan bungelde. "Het werkt!" zei ze tegen Harvey terwijl ze langs hem heen rende richting de deur. "Kan iemand die deur open doen?!"

De deur werd geopend en Sabrina zette haar ventilator op volle snelheid zodat de Eerlijke Wind nu sneller en sneller voor haar uit gestuwd werd. Maar precies toen hij bij de deur aankwam, schoot hij een andere kant op, waardoor Sabrina in haar eentje naar buiten stormde.

"Kom terug jij", gromde ze, en ze rende er weer achteraan.

Tien minuten lang achtervolgde Sabrina de Eerlijke Wind door de school. Ze voelde zich een volslagen idioot, maar niemand leek op haar te letten, wat dus wel goed was... hoewel ze niet begreep waarom, wat niet zo goed was. Hoe dan ook, de Eerlijke Wind ging steeds harder waaien terwijl de tienerheks steeds vermoeider werd.

Uiteindelijk moest ze het opgeven. Ze had hem recht op drie deuren en zo'n zeven ramen af gedreven, maar elke keer was het verdomde ding een andere richting op gegaan. De laatste keer dat ze hem had gezien, werv elde hij als tornado door een gang.

Haar armen waren lam van het lange omhoog houden van de ventilator, dus flitste Sabrina hem weg en zakte neer op een stoel. "Ik geef het op. Ik zal mijn diploma moeten halen op Enge Wind High School." Ze merkte het amper toen de man die de automaten bij moest vullen langs rende met zijn armen vol repen en koek. “Het is allemaal van mij!” schreeuwde hij hysterisch. “Het is niet eerlijk dat iedereen ze mag eten behalve ik! Nu is het van mij, allemaal van mij!” Hij rende bijna tegen Maria French op, het rijkste meisje van de school.

Normaal gesproken liep Maria door de gangen als een haute couture model, in de nieuwste kledingontwerpen en met de stijlvolle blik die zei dat ze het leven maar saai vond. Nu strompelde ze naar Sabrina met tranen op haar gezicht die in lange mascaravegen naar beneden stroomden. “Het is niet eerlijk! Iedereen is arm behalve ik! Ik wil ook arm zijn!” Ze zakte door haar knieën en snikte als Scarlett O’Hara om Rhett Butler in *Gone with the Wind*.

“Houd toch op”, snauwde Sabrina tegen haar.

“Wat zei je?” klonk Mr. Krafts stem op hoge, verbaasde toon. Sabrina draaide zich om en zag dat hij niet tegen haar maar tegen Mrs. Quick sprak.

“Ik zei: ik wil muziekles geven”, herhaalde Mrs. Quick.

“Maar je bent wiskundelerares.”

“Wiskunde lijkt erg op muziek. Of is het andersom? Nou ja, in ieder geval hou ik heel veel van muziek en wil ik het geven.”

Mr. Kraft deed zijn armen over elkaar. “Weet je wel iets over muziek? Ben je bevoegd om muziek te geven? Kun je ook maar een toonladder zingen?”

Mrs. Quick maakte zich zo lang mogelijk. “Nee, maar ik doe gewoon alsof.”

“Het spijt me, Mrs. Quick, maar...”

"Oneerlijk!" blèrde Mrs. Quick dwars door hem heen. "Ik word gekweld door de onderdirecteur!" Ze begon door de gang te marcheren met haar vuisten in de lucht. "Ik wil muziek geven en dat mag niet van Mr. Kraft! Oneerlijk! Oneerlijk!"

Krafts gezicht werd vuurrood. "Hé, dat mag je niet zeggen!" riep hij uit, en hij marcheerde achter haar aan door de gang. "Luister niet naar haar! Ze mag dat soort dingen niet over mij zeggen! Ze zijn misschien waar, maar het is toch oneerlijk!"

Net toen ze dacht dat het niet gekker kon worden, hoorde Sabrina het geluid van drums en bekkens. Gordie en Trudy waren weer op oorlogspad en kwamen haar kant op, gevolgd door een grote horde medestanders die klapten en floten. "Nieuwe verkiezingen!" riepen ze. "Nieuwe verkiezingen!"

"Jullie hebben al toestemming om nieuwe verkiezingen te houden!" riep Sabrina boven het lawaai uit.

Het drumgeluid en gefluit hield op. "We hebben het niet meer over de Leerlingenraad", zei Gordie, met machtzucht in zijn ogen. "De Leerlingenraad is maar een marionettenorganisatie, een schijnvertoning, een aanfluiting. De echte macht ligt bij het schoolbestuur."

"Ik stel me kandidaat als directeur", maakte Trudy bekend.

"En ik voor onderdirecteur", zei Gordie.

"En ik sta achter ze", klonk een andere stem.

Sabrina's mond viel open. "Directeur LaRue?"

De directeur van Westbridge High School stapte naar voren met een stel glanzende bekkens in zijn handen. "Deze kinderen kunnen de verantwoordelijkheid aan, en om eerlijk te zijn, geef ik er de brui aan. Het is wel zo eerlijk als zij op deze school de touwtjes in handen krijgen. Kom op, kinderen, verder met onze campagne!" Hij sloeg zo hard met zijn bekkens dat Sabrina ineen kromp.

De tamboer sloeg weer op zijn trommel en de menigte rond Gordie en Trudy begon weer te klappen en te fluiten.

"Oké, het is al ver genoeg gegaan." Sabrina rende naar de telefoons en zocht in haar zakken naar muntgeld. "Het maakt me niet uit wat tante Zelda en tante Hilda met me doen, ik heb hun hulp nodig." Ze was nog maar amper begonnen met het intikken van hun telefoonnummer, toen er een rookwolk in de gang verscheen.

Toen de rook optrok, stond tante Vesta daar, gekleed in een kersenrood leren minirokje en een golvende witte zijden blouse. Haar lange, goedgevormde benen glinsterden van de glitters op haar panty en de hakken van haar schoenen waren zo hoog dat ze zowat op haar tenen stond. Ze deed haar Gucci zonnebril omhoog en knipperde met de lange wimpers van haar beeldschone blauwe ogen.

"Hallo, Sabrina lieverd. Ik ben zo blij dat ik je heb gevonden." Ze keek om zich heen. "Ik was vergeten hoe kleurloos jouw schooltje is."

"Kleurloos misschien wel", zei Sabrina. "Maar nooit saai. Tante Vesta, wat doe je hier?"

"Verrassing! Je tantetje Vesta neemt je mee shoppen." Voordat Sabrina kon protesteren, pakte Vesta haar nichtje bij de arm. En met een stralende glimlach en een kromming van een perfect gemanicuurde vinger, verdwenen Vesta en Sabrina.

* *

Hoofdstuk 12

* *

Sabrina stond ineens middenin een winkelcentrum dat zo groot was dat ze geen in- of uitgang kon ontdekken. Ook zag ze geen plafond, waarvan ze aannam dat het zich toch ergens ver boven haar zou moeten bevinden. Uit alle richtingen kwamen gedempte stemmen en doorgewinterde shoppers schreden voorbij met overvolle tassen en dozen gehoorzaam achter hen aan zwevend. “Waar zijn we?” wilde Sabrina weten.
Vesta stond naast haar. Ze had haar zonnebril afgezet en stopte hem nu in de witte, met kralen versierde tas die over haar schouder hing. “Winkelcentrum Le Paquet de Monnaie, het meest modieuze winkelcentrum van het Andere Rijk. Ik pieker er niet over om ergens anders kleren te kopen.” Ze leunde naar voren en fluisterde in Sabrina’s oor: “Een klein advies – dat zou jij ook niet moeten doen.”
“Goed, we zijn dus in een winkelcentrum”, zei Sabrina. “Volgende vraag: *waarom?*”
Vesta legde een arm om haar nichtjes schouder. “Omdat, lieve Sabrina, ik je meeneem naar de voor-

naamste jurkenwinkel van beide rijken en daar een fatsoenlijke outfit voor het gala voor je ga kopen. Ik kan niet toezien dat je nog langer gebukt gaat onder besluiteloosheid."

Sabrina probeerde rustig te blijven. "Tante Vesta, heb je de chaos op mijn school niet gezien? Ik heb nu helemaal geen tijd om te winkelen!"

"Onzin", zei Vesta. "Geen tijd om te shoppen? Wat een belachelijke gedachte."

"Het is geen gedachte. Het zijn mijn vrienden..."

"Die enkel sterfelijk zijn. Wat het probleem ook is, je vrienden overleven het wel tot we klaar zijn. Kom nu met me mee." Vesta schreed op haar glinsterende lange benen weg richting een winkel die 'Het Best Gekleed' heette.

De deur ging automatisch open en Sabrina voelde dat ze voorzichtig naar binnen werd getrokken. *Dat is ook een manier om klanten te trekken*, dacht ze.

Een uitgemergeld, zuur en ongelukkig kijkend modelachtig figuur met futloos haar sloop naar hen toe en nam een chagrijnige mannequinhouding aan. "Kan ik u helpen?" vroeg ze met eentonige, ongeïnteresseerde stem.

"Ja, Vesta voor Mr. Drest zelf", antwoordde Vesta, met een stem die zo eentonig was dat hij die van de verkoopster evenaarde. "Galakleding", en ze gebaarde vaag richting Sabrina.

De verkoopster keek vluchtig naar Sabrina, tilde één keurig geëpileerde wenkbrauw op en maakte eenzelfde wuifgebaar als Vesta had gedaan. Maar bij haar leek de beweging bijna te veel moeite te kosten. "Deze

kant op, alstublieft."
"Die kan wel een kop koffie gebruiken", fluisterde Sabrina tegen Vesta.
"Haute couture, lieverd", zei Vesta summier. "Afzwakking verkoopt."
Sabrina volgde haar tante ver de winkel in, voorbij rekken vol kleding en planken vol schoenen en bergen make-up en tafels die uitpuilden van de sieraden en accessoires. "Wacht hier", zei de verkoopster. "Nergens aankomen." Ze verdween in een achterkamertje.
"Nergens aankomen?" vroeg Sabrina. "Hoe kun je nou winkelen zonder iets aan te raken?"
"Alleen Drest raakt de kleding aan", zei Vesta, alsof dat zonneklaar zou moeten zijn. "Je ziet zo wel hoe het werkt."
"Vesta, lieverd!" bulderde een zware stem. Een kleine, kalende mannelijke heks van middelbare leeftijd gekleed in een keurig pak met dunne streepjes en nette schoenen snelde op Vesta af. Zijn huid was zo gebruind dat hij voor een grote koffer door zou kunnen gaan. Hij tilde Vesta's hand op en kuste hem, waarbij de ringen en armbanden aan zijn eigen handen tegelijk met die van haar schitterden en tinkelden. Vesta reageerde op deze begroeting alsof ze aangenaam in verlegenheid gebracht was, maar Sabrina wist dat ze hem allang verwacht had.
"Drest, ouwe schoft! Waarom ben je niet op mijn feest geweest? Groenland is geweldig als de temperatuur eenmaal in toom is. Ik heb hem het hele weekend op dertig graden gehouden, maar je bent helemaal niet

langsgekomen."
Drest stootte een verontschuldigende geur uit. "Vesta, Vesta, Vesta, parel van mijn hart, ik heb een hekel aan Groenland. Dat weet je."
Tegen Sabrina zei Vesta: "Leugenaar. Hij wil niet toegeven dat hij gewoon niet zo dol is op het sterfelijke rijk."
"Het is er zo gewoontjes", klaagde Drest, waarna hij naar Sabrina keek alsof hij haar nu pas opmerkte. "En wie is dit?"
"Dit", zei Vesta stralend van trots, "is mijn nichtje, Sabrina, en ze heeft haar eerste gala. We hebben een jurk nodig, Drest, en ze moet het mooist gekleed zijn van allemaal."
"Ik heb precies wat jullie zoeken." Drest liep naar een kledingrek, trok er iets vanaf en gooide het naar Sabrina.
"Hé" riep Sabrina, maar Drests magie veranderde de outfit op de hanger binnen een seconde in precies de juiste maat voor Sabrina. Voor ze het wist, had ze het aan. Dat had ze zich pas amper gerealiseerd, toen ze ook merkte dat ze zichzelf kon zien alsof ze in een spiegel keek. Het leek alsof de lucht haar beeltenis weerspiegelde.
"Is 't wat?" vroeg Drest.
Sabrina had een lange zwarte satijnen jurk aan. Terwijl ze haar spiegelbeeld stond aan te gapen, vlocht haar haar zich in een ingewikkeld knotje met een diadeem erop. Een bijpassende ketting verscheen rond haar hals. "Ehh..."
"Ze is sprakeloos", zei Vesta geamuseerd.

"Nee. Hij is prachtig, maar hij... past gewoon niet bij me", zei Sabrina. "Tante Vesta, ik..."
"Te zwart, zeker?" onderbrak Drest haar. "Probeer deze eens." Hij haalde nog een hanger van het rek en slingerde hem naar haar toe.
Nu had Sabrina een roze fluwelen mini-jurk aan en een jasje versierd met maraboeveren en bijpassende leren enkellaarsjes.
"Misschien draagt ze daar liever een vestje bij", peinsde Drest, "misschien iets met kralen."
Sabrina's jasje werd een vestje met gouden en zilveren kralen in wijnbladmotief. Haar haar haalde zelf de sierlijke vlecht uit en kreeg nu een middeleeuwse stijl.
"Tante Vesta, alsjeblieft..." probeerde Sabrina weer, maar Vesta was nu compleet geboeid door Drest.
"Probeer eens iets oriëntaals", stelde ze voor.
Drest rommelde door zijn rek, trok er een outfit uit en smeet hem naar Sabrina. Nu droeg ze een prachtige helderrode Chinese cheongsam met een nauwgezet geborduurde gouden draak langs haar rechterzij. Aan de linkerkant zat een lange split.
Drest bekeek de creatie kritisch. "Eén of twee splitten?" vroeg hij aan Vesta.
"Twee", besloot Vesta. "Danst makkelijker."
Ogenblikkelijk scheurde een tweede split de stof langs Sabrina's rechterbeen. "Ah!" zei de tiener toen de draak tot leven kwam en rook uit zijn neusgaten blies. Hij verplaatste zich zodat hij in het nieuwe ontwerp paste. Hij kwam weer tot rust en werd weer een levenloos borduursel. "Tante Vesta, ik denk niet dat een draak op mijn jurk iets is voor Westbridge."

"Misschien heb je gelijk", stemde Vesta in. "Stervelingen hebben draken nooit begrepen. Ik weet het!" Ze boog zich voorover en fluisterde iets in Drests oor.
Hij glimlachte en knikte. "Ik weet welke je bedoelt."
Hij ging naar een ander kledingrek en schoof een en ander heen en weer, haalde er toen een hanger af en gooide de outfit naar Sabrina.
Nu had ze een witgeverfd leren haltertopje aan met bijpassende leren jas en broek met een namaak vossenbont versiersel. Door heksenmagie glansde het witte leer met zilverachtige highlights.
"Sta mij toe", zei Vesta tegen Drest en ze wees naar Sabrina's haar, dat zich onmiddellijk in een honderdtal kleine vlechtjes wond. "En ik weet precies wat hier nog aan ontbreekt. Een haarslang!"
"Een haarslang?" vroeg Sabrina behoedzaam.
"Die zijn prachtig", verzekerde Drest haar. "Ze klemmen zich in je haar en veranderen gedurende de avond van vorm, waardoor je steeds een nieuwe look krijgt. Te gek gewoon."
"Een levende slang?" piepte Sabrina. "In mijn haar? Waag het niet!"
"Maar dat is helemaal in, Sabrina", zei Vesta. "Tjonge, wat ben jij een zeurpiet."
"Nee, ik heb er gewoon genoeg van." Sabrina wees naar zichzelf en zorgde dat ze haar eigen schoolkleding weer aanhad. Drest en Vesta hapten naar adem van de schok, maar Sabrina probeerde beheerst te blijven. "Ik heb genoeg van het winkelen, oké?"
Vesta ontspande zich. "Waarom zei je dat dan niet?"

Tegen Drest zei ze: "Ze gaat voor de wit leren outfit, zonder de haarslang. Maak je geen zorgen, ik zorg wel dat Enrique een geschikt kapsel voor haar in elkaar draait."
Een bonboekje en pen verschenen in Drests handen. "Mij best." Hij begon wat neer te krabbelen. "Hij kan over twaalf uur opgehaald worden."
Dat snapte Sabrina niet. "Waarom over twaalf uur? Ik had hem net al aan."
"Dat was het rekmodel", legde Vesta uit. "Die kun je niet kopen; dat is een Flexi-Fit die alleen voor het passen ontworpen is." Ze haalde verontschuldigend haar schouders op tegen Drest. "Het arme ding winkelt niet zo vaak."
Drest klopte haar op de arm. "Dat genezen we wel." Hij gaf Vesta een bonnetje. "Op je gebruikelijke rekening, lieverd? Uitstekend. Dan moet ik nu gaan. Ik moet naar een demonstratie in eh" – hij fronstc zijn wenkbrauwen – "het sterfelijke rijk. *Ta*." Drest haastte zich terug naar zijn kantoor.
"Hij is een kunstenaar", bromde Vesta tevreden. "Oh, en Sabrina, zou je zo goed willen zijn om Zelda en Hilda hier niets over te vertellen? Ik wil dat het een verrassing is."
"Dat zal het zeker zijn", zei Sabrina en ze liep richting de uitgang. Ze was niet van plan om de gekozen outfit te gaan dragen, maar als Vesta die zo graag voor haar wilde kopen, had ze geen zin om erover te ruziën. Het enige wat ze nu wilde doen was teruggaan naar Westbridge om de Niet-Zo-Eerlijke Wind te stoppen.
Maar Vesta was nog niet klaar. "Nu de accessoires",

zei ze, terwijl ze Sabrina inhaalde en haar richting de dichtstbijzijnde cosmeticatafel manoeuvreerde.
"Maar, tante Vesta..."
"Tut-tut!" zei Vesta streng. "Er zijn een aantal dingen die een meisje gewoon móét hebben voor een gala." Ze pakte een potje nagellak op. "Dit is stemmingslak. Het verandert van kleur..."
"Als je stemming verandert", maakte Sabrina ongeduldig haar tantes zin af. "Dat soort dingen hebben we in het sterfelijke rijk ook, tante Vesta. Het werkt niet."
"*Deze* wel", zei Vesta. "En trouwens, deze volgt niet jouw stemming, maar die van de mensen om je heen. Zo kun je daarop inspelen. In de massa opgaan is tenslotte de sleutel tot sociaal succes." Ze legde de nagellak in een winkelmandje. "Oh, en zo eentje moet je ook hebben." Het was een poederdoosje.
"Ik heb er al een", zei Sabrina. "Ik heb er zelfs een paar."
"Niet zo een." Vesta opende hem en Sabrina hoorde het geluid van een joelend stadion. Kleine stukjes confetti vlogen uit het poedervakje omhoog en er kwamen een paar piepkleine zwaaiende handjes uit het spiegeltje vandaan. Vesta genoot van de aanbidding, sloot daarna het doosje met een knal en liet hem in het winkelmandje vallen. "Herinner je je nog dat ik je mijn Zaal van Kosteloze Lof liet zien? Dit is de zakversie. Iedere vrouw zou er eentje moeten bezitten. Een dosis ophemeling verricht wonderen voor je zelfvertrouwen."
"En voor je ego", mompelde Sabrina.
"Ah, hier is het." Vesta pakte een potje glitterverf op.

“Voor in je haar. Als je geen slang gebruikt, wil je toch minstens dat je vlechten bij je outfit passen. Oh, en dit maakt het compleet” – ze pakte het eerbiedig op – “een Assepoesterhorloge.”
Sabrina’s lip krulde. “Ben ik daar niet een beetje te oud voor?”
Vesta lict hem aan haar zien. Het was een normale wijzerplaat zonder Assepoesterplaatje of iets anders wat met het sprookje te maken had.
“Waarom heet het een Assepoesterhorloge als ze er niet op staat?” vroeg Sabrina verbaasd.
“Omdat, als je hem gelijk zet, je vriendje om middernacht in een pompoen verandert.”
Sabrina was geschokt. “Ik wil helemaal niet dat Harvey in een pompoen verandert!”
“Maar je wilt wel de tijd bijhouden, toch?”
“Niet zo!” Weer liep Sabrina richting de deur. “Dank je, maar ik moet nu echt terug naar school.” En ze rende zonder nog een woord te zeggen ‘Het Best Gekleed’ uit. Ze hoopte maar dat Vesta het kon begrijpen. *Als ik niet snel terug op school ben, is er straks misschien niet eens meer een school om naar terug te gaan!* dacht ze over haar toeren.
Eerst ging ze langs huis. Ze had de hulp van haar andere twee tantes hard nodig.
“Sabrina, daar ben je”, zei Hilda, die net uit de woonkamer kwam toen Sabrina de trap af rende. “Ik zat al te wachten tot je uit school zou komen. We moeten dit snel even doen, Zelda is niet thuis.”
“Wat moeten we snel doen?” vroeg Sabrina, die nu op de gang was. Ze bleef stokstijf stilstaan toen ze

Hilda's blik naar de woonkamer had gevolgd.
"Verrassing!" zei Hilda.

* *

Hoofdstuk 13

* *

De woonkamer stond tjokvol kledingrekken, heel bekende kledingrekken. En er midden tussenin stond Mr. Drest. Hij keek verbaasd op, want hij had duidelijk niet verwacht Sabrina weer te zien. *Dus hij had een demonstratie in het sterfelijke rijk, hè?* dacht Sabrina.

Hilda giechelde van verrukking. “Sabrina, ik ga een galaoutfit voor je kopen waar je leeftijdsgenoten van op zullen kijken. Mr. Drest, dit is Sabrina, mijn nichtje. Sabrina, dit is Sebastian Drest.”

Drest opende zijn mond om iets als “we kennen elkaar al” te zeggen, maar Sabrina knikte hem kortstondig, maar duidelijk toe en Drest zweeg. “Heel prettig kennis te maken”, zei hij uiteindelijk.

Sabrina deed alsof ze Drest nog nooit gezien had en vroeg: “Hoi. Ben jij een plaatselijke kleermaker?”

Drest keek nijdig. Hilda zei snel: “Sabrina! Dit is geen sterfelijke kleermaker. Mr. Drest is de meest vooraanstaande modeontwerper van het Andere Rijk. Hij is de beste van de besten. Zelfs je tante Vesta koopt bij hem.”

Sabrina deed net of dat haar verbaasde. “Oh ja?”
Drest trok aan zijn onberispelijk op maat gemaakte jasje. “Voor je paasbest, kom je naar Drest.”
“Hé, dat zou een goede slogan zijn.”
“Het is geen slogan”, zei Hilda zachtjes in Sabrina’s oor. “Het is de waarheid. Hij kost een fortuin, maar ik kon niet langer aanzien hoe Vesta op je in liep te praten. Je hoort je eigen jurk te mogen uitkiezen, en dat moet de beste zijn.”
Sabrina wist niet wat ze moest zeggen. Aangezien Hilda huisarrest had en het huis dus niet mocht verlaten, had ze blijkbaar Drest ingehuurd om met bijna zijn hele voorraad bij haar langs te komen. Maar hoe lief het gebaar ook was, Sabrina had nog steeds geen tijd om te winkelen, niet zolang de Eerlijke Wind door Westbridge High raasde!
Hilda doorbrak Sabrina’s sombere gedachtegang. “Oké, genoeg getreuzeld. Zelda vermoordt me als ze ziet dat ik me ermee bemoei, dus laten we dit snel regelen voor ze thuiskomt. Sabrina, winkelen, nu!”
“Maar, tante Hilda...”
“Waar houdt de jongedame van?” vroeg Drest, die Sabrina’s dilemma verergerde als wraak voor haar “plaatselijke kleermaker”-belediging. “Wat dacht je van iets loshangends?” Drest griste een outfit van een rek dat binnen zijn handbereik stond en smeet hem naar Sabrina.
“Oh, mooi”, zei Hilda over de oogverblindende fuchsiapaarse chiffonjurk die Sabrina plotseling aanhad. “En schoenen?”
Drest wees, en Sabrina’s gympen werden elegante

gouden sandaaltjes.
"Wat vind je, Sabrina?" vroeg Hilda. Toen Sabrina alleen maar gefrustreerd voor zich uit bleef kijken, besloot Hilda: "Oké, iets te veel vertoon. Laten we iets pittigers proberen."
Drest smeet weer een outfit haar kant op en Sabrina droeg een elegante metallic zilveren satijnen broekpak met jasje.
Hilda floot. "Wat een stuk!"
Met haar hersenen kolkend van tegenstrijdige gevoelens, flapte Sabrina eruit: "Tante Hilda, begrijp me, alsjeblieft. Ik kan dit niet..."
"Oh, natuurlijk wel." Hilda legde een troostende arm om Sabrina's schouder. "Luister, dit is mijn cadeau voor jou, oké? Geniet ervan. Maak je maar geen zorgen over de kosten. Ik wil dat jouw gala geweldig wordt." Ze fronste haar wenkbrauwen. "En ik wil dat jij leukere herinneringen aan je eerste gala zult hebben dan ik." Onbewogen door Drests hoorbare zucht van ongeduld, begon Hilda haar verhaal. "Mijn eerste bal was, zoals je weet, een ramp. Ik blijf steeds maar tegen Zelda zeggen dat het allemaal Drells fout was. Zie je, hij en ik hadden toen wat en hij ging ervan uit dat we tot koning en koningin van het bal verkozen zouden worden. Toen we niet wonnen, werd hij kwaad en veranderde hij een aantal van de feestgangers in kalkoenen – en toen plukte hij ze voor de ogen van de andere aanwezigen kaal."
Dit was niet helemaal wat Sabrina verwacht had te horen. "Jemig, hij heeft ze toch geen pijn gedaan, hoop ik?"

"Natuurlijk niet, maar ze schaamden zich rot, en ze hadden nog weken lang een verschrikkelijk knobbelige huid, zelfs toen ze hun gewone lichamen terughadden. Toen papa erachter kwam, was hij in alle staten. Dat was geen verrassing. Ik heb hem gezegd dat ik er niets mee te maken had, maar ik had Drell ook niet proberen tegen te houden." Schuldgevoel sloop in Hilda's stem toen ze dit opbiechtte. "Ik was kwaad, zie je. Dus kreeg ik megahuisarrest. De rest weet je."
"Ik vind het naar voor je dat je huisarrest hebt", zei Sabrina, "maar ik heb zelf ook een klein probleempje en als ik dat niet snel oplos, zal huisarrest wel het minste zijn wat ik krijg."
Hilda kneep haar ogen tot spleetjes. "Wat bedoel je?"
Sabrina probeerde het feit dat ze zich versproken had te bedekken met een glimlach. "Wat? Oh, niets. Laat maar, echt waar. Maar ik moet wel gaan, tante Hilda, echt. Ik kom zo snel mogelijk terug." Sabrina voelde zich er rot over dat ze weg moest, maar ze had geen keus. Terwijl Hilda argwanend naar haar keek, flitste ze haar eigen kleren terug aan haar lichaam en haastte zich naar de voordeur. "Prettig kennis te maken, Mr. Drest. Tot ziens!"
Toen ze weg was, draaide Hilda zich naar Drest en haalde haar schouders op. "Doe dat broekpak maar voor haar."
Drest haalde zijn bonboekje tevoorschijn. "Hij kan over twaalf uur opgehaald worden."

Buiten realiseerde Sabrina zich dat ze geen tijd had om op de sterfelijke manier naar school te gaan. Ze

wilde zich er net heen flitsen, toen Zelda's auto de oprit op kwam rijden. "Sabrina", riep Zelda door het open raam. "Wat een perfecte timing. Ik moet je even spreken."
"Sorry, tante Zelda, ik moet snel..."
"Stop!"
Sabrina had op het punt gestaan om zich weg te flitsen, maar iets dwong haar ertoe haar vinger omlaag te wijzen. "Heh?"
"Je kunt later ook nog wel naar je vrienden in de Slicery", zei Zelda, terwijl ze de auto uit stapte. "Eerst moet je even met mij meekomen. Ik heb een verrassing voor je."
Een flits, en Sabrina stond ineens in de 'Het Best Gekleed' winkel. "Oh, nee!"
Zelda keek beledigd. "Wat bedoel je, 'oh nee'?" Haar gezicht kreeg een mildere uitdrukking. "Liefje, ik kan niet langer toezien hoe Vesta je loopt te commanderen. Ze bedoelt het goed en ik hou zielsveel van haar, maar ze kan af en toe zo onuitstaanbaar zijn. Ik wil gewoon dat je gelukkig bent en van je gala kunt genieten, dus heb ik besloten een jurk voor je te kopen. Kies maar welke je mooi vindt."
Sabrina riep de medewerking van iedere vrolijke atoom in haar lijf op en glimlachte naar Zelda. "Wauw, dat is lief, tante Zelda."
"Maar doe me een plezier", zei Zelda erachteraan. "Vertel het niet aan Hilda en Vesta. Ik wil dat dit een verrassing is."
"Oh, dat zal het zeker zijn", verzekerde Sabrina haar. Zelda straalde van plezier en gebaarde naar de winkel

om hen heen. “Het Best Gekleed schijnt de hipste kledingwinkel van het Andere Rijk te zijn, en aangezien je tante Vesta hier haar kleren koopt, kan ik alleen maar veronderstellen dat dat waar is. Kom op, we gaan even rondkijken.”

“Welkom in Het Best Gekleed”, zei een sombere stem. Sabrina draaide zich vliegensvlug om en stond oog in oog met de uitgemergelde, zuur en ongelukkig kijkende modelachtige verkoopster met futloos haar. Sabrina’s hart sloeg een slag over, maar de verkoopster leek haar niet te herkennen. *Niet genoeg hersencellen om een geheugen te ondersteunen*, dacht Sabrina terwijl de verkoopster haar chagrijnige mannequinhouding aannam. “Kan ik u helpen?”

Zelda deed een stap vooruit. “Ja, graag. Ik heb een afspraak met Mr. Drest. Maar we zijn een beetje vroeg.”

De verkoopster tilde een vogelverschrikkerarm op en keek op het gouden horloge om haar magere pols. “Hij is over een paar minuten wel terug. Kan ik u tot die tijd ergens mee helpen?”

“Nee”, bemoeide Sabrina zich ermee. “Nee, dank je, we kijken gewoon even rond terwijl we wachten. Tot ziens.”

Zelda keek haar vreemd aan terwijl de verkoopster weg paradeerde.

“Sabrina, is er iets?” vroeg Zelda.

“Hoezo?” *Een interessante vraag*, dacht de tienerheks. *Er was zéker iets. Iets bizars, dat dreigde totaal uit de hand te lopen en dat steeds erger werd.* “Nee, er is niets, tante Zelda. Wat dan?”

"Je lijkt gewoon zo gespannen. Maar laat maar." Zelda bekeek de kleding op het dichtstbijzijnde rek. "Wat een prachtige dingen allemaal. Heb je enig idee wat je aan wilt?"

"Idee?" *Ik heb al twee outfits, waarvan geen van beide ook maar enigszins past bij de ramp die Harvey zal dragen!* "Ik heb geen flauw idee", zei ze.

"Goedemiddag", hoorde ze een overbekende stem zeggen. "Kan ik u helpen...?" Sebastian Drest stond stokstijf stil en staarde naar Sabrina.

Ze draaide met haar ogen naar hem en schudde haast onmerkbaar met haar hoofd.

"Prachtige dames?" maakte Drest zijn zin af. Galant pakte hij Zelda's hand en kuste hem. "Welkom in Het Best Gekleed. U moet Zelda zijn. Ik vind het altijd geweldig om familieleden van de schone Vesta te mogen ontmoeten. Ze is één van mijn charmantste klanten. Trouwens, ze was hier..."

Sabrina keek hem boos aan.

"Vorige week nog."

Zelda bloosde. "Vesta heeft me zoveel goeie dingen over uw winkel verteld, dat ik mijn nichtje Sabrina hier naartoe heb meegenomen om een jurk voor haar allereerste gala te kopen."

Drest probeerde niet te lachen. "Is dat zo?"

"Ja, dat is zo", zei Sabrina. "Laat me eens iets... anders zien."

"Eigenlijk", zei Zelda, "had ik een smoking in gedachten. Denk je ook niet dat dat heel schattig zou zijn, Sabrina?"

"Een smoking voor de jongedame?" Drest plukte een

outfit van een rek en gooide hem naar Sabrina. Onmiddellijk had Sabrina een smoking compleet met jacquet aan. Het witte overhemd had een plooikraag en ruchemouwen, en de zwaluwstaartjas met weggesneden voorpanden en de pantalon hadden glanzend satijnen sierstreepjes. Haar haar ging strak achterover in een unisekskapsel en een witte vlinderdas plaatste zich losjes rond haar nek. “Oh, Sabrina, dat ziet er schitterend uit”, vond Zelda.

Net als met Vesta, zag Sabrina zichzelf in een onzichtbare spiegel. De smoking stond haar inderdaad goed. “Oké, deze wordt het!” Ze flitste haar normale schoolkleding weer aan en gaf haar verbaasde tante een knuffel. “Hartstikke bedankt, tante Zelda. Hij is prachtig en ik kan niet wachten tot ik hem mag dragen, maar ik moet nu gaan. Doeg!” En ze rende de deur uit.

Zelda wendde zich tot Drest. “Excuseert u het gedrag van mijn nichtje. Als ze niet zo opgewonden is, heeft ze wel goede manieren.”

Drest knikte alleen maar verstandig. “De jeugd. Wat doe je eraan?” voegde hij er filosofisch aan toe. “Oké, contant of pinnen?”

Zelda knipperde met haar ogen. “Oh. Pinnen.”

“Goed”, zei Drest, die wat in zijn bonboekje krabbelde. “De outfit kan over twaalf uur opgehaald worden.”

Een draaikolk van gouden lichtpuntjes ontstond in een gang in Westbridge High School, en Sabrina verscheen. Het was er stil en uitgestorven. *Wat er ook gebeurt is, ik heb het gemist*, dacht ze. Een snelle con-

trole van de gangen overtuigde haar ervan dat er geen afschuwelijke ongelukken hadden plaatsgevonden of schade was aangericht. Ze kon alleen maar concluderen dat de Eerlijke Wind uitgeraasd moest zijn.
Opgelucht flitste ze zich naar haar slaapkamer thuis. "Eén probleem opgelost, nog één te gaan", zei ze. "Wat doe ik met die drie galaoutfits?"
Normaal gesproken zou ze haar dilemma met Salem besproken hebben, maar hij was in het Andere Rijk met zijn taakstraf bezig. Aangezien hij geweigerd had zelf een taak uit te kiezen, had het Bureau voor hem gekozen – de arme kat was nu een officiële opziener in Hondenpark, een recreatiegebied voor honden in het Andere Rijk. Hij zou pas 's avonds thuiskomen en hopelijk was hij dan nog heel.
Zonder Salem als klankbord, mokte Sabrina in zichzelf. *Wat moet ik doen?* dacht ze steeds maar. *Wat moet ik doen?*
Op dat moment bewoog haar magieboek geheel uit zichzelf op de houten standaard. Hij schudde. Daarna sprong hij op. Toen sloeg zijn leren omslag open en vlogen de bladzijden open, totdat het bladeren stopte op het plaatje van Sabrina's vader. In de zwartwitte potloodtekening was hij een goed verzorgde jongeman in een pak met hoge hoed van rond de eeuwwisseling. Terwijl Sabrina toekeek, kwam de tekening tot leven en Edward Spellman draaide zich recht naar zijn dochter. "Hallo, Sabrina."
Boeken die zichzelf openden en plaatjes die tot leven kwamen verbaasden Sabrina al lang niet meer. Sinds ze op haar zestiende verjaardag te horen had gekregen

dat ze een heks was, waren bizarre gebeurtenissen alledaags geworden. Maar dit bezoek was speciaal – Edward Spellman, die een drukke baan had in het Andere Rijk, kwam niet vaak bij zijn dochter langs. Sabrina was niet alleen verbaasd, ze was dolblij hem te zien. “Papa!”

“Hoe gaat het, schatje?”

“Goed, denk ik.” Toen versomberde Sabrina. “Nee, eigenlijk niet, denk ik.”

“Wat naar om te horen, liefje”, zei haar vader oprecht, “maar ik heb misschien iets wat je op zal vrolijken.” Hij boog zich blijkbaar voorover om iets op te pakken, want hij verdween onder de rand van het plaatje. “Ik had je dit eerder willen geven”, ging zijn lichaamloze stem verder, “maar het is de laatste tijd nogal hectisch geweest. Ik ben al blij dat ik er überhaupt aan gedacht heb, om eerlijk te zijn.” Hij kwam weer overeind en reikte haar een doos aan. Vergeleken met haar vaders afmetingen was de doos groot, maar Sabrina vond hem maar klein. “Je moeder wilde dat je dit zou hebben voor je eerste gala, dat als ik het goed heb morgenavond plaats zal vinden, nietwaar?”

Met een wee gevoel nam Sabrina het doosje aan, dat groter werd op het moment dat hij uit het magieboek kwam. Sabrina zette hem op haar bed en opende hem.

“Oh, jee”, zei ze, terwijl ze naar de licht perzikkleurige, tafzijden avondjurk staarde die voorzichtig op een dik bed van vloeipapier gevouwen was. “Het is een... jurk.”

Totaal niet op de hoogte van haar dilemma, keek Edward Spellman met een brede glimlach naar zijn

dochter. "Niet zomaar een jurk, Sabrina – dat is je moeders eerste galajurk. Ze heeft me gevraagd hem goed voor je te bewaren, zodat hij je prachtig zou staan. Meestal worden trouwjurken doorgegeven, maar je weet hoe onze bruiloft eindigde. Je moeder dacht dat deze jurk betere herinneringen zou doorgeven."
Sabrina slikte met vochtige ogen. "Jee, pap... dank je."
Als haar vader enig idee gehad had dat de tranen van zijn dochter tranen van frustratie waren en niet van vreugde, zou hij heel anders hebben gereageerd. Maar nu grinnikte hij zelfvoldaan. "Ik hoop dat je nog geen jurk hebt uitgezocht. Als dat zo is, stelt dit je misschien voor een probleem." Hij zweeg. "Je hebt toch nog geen jurk uitgezocht, hè?"
Sabrina's antwoord was de verschrikkelijke waarheid. "Nee, nog niet."
"Oh, gelukkig. Als dat zo was, zou je moeder me vermoord hebben." Er kwam een schel piepgeluid uit het plaatje en Edward Spellman haalde snel een pieper uit zijn binnenzak. "Moet ervandoor, lieverd. Ik houd van je. Geniet van je gala! Doeg!" Hij nam de zijwaartse pose van de originele tekening aan en was plotseling weer een tekening.
Sabrina sloot haar magieboek en bekeek de jurk in de doos. *Iene miene mutte?* dacht ze ellendig.

✳✳ Hoofdstuk 14 ✳✳

De volgende ochtend stond Sabrina op, flitste zich in spijkerbroek en T-shirt, ging aan haar bureau zitten, legde haar kin in haar handen en dacht na. En dacht. En dacht. "Er moet een uitweg zijn", herhaalde ze steeds maar, vastberaden een oplossing te vinden.

Salem, die lichamelijk intact maar mentaal zwaar getraumatiseerd terug was gekomen van het Hondenpark, sprak vanonder een stapel kleren in een hoek waar hij de hele nacht had doorgebracht. "H-honden", stamelde hij. "O-overal honden. Het was verschrikkelijk. Ik heb het amper overleefd!"

Sabrina had al de hele nacht naar dit soort gewauwel geluisterd, maar ze kon nu echt geen medelijden meer met Salem hebben, helemaal aangezien hij toegegeven had dat hij een schnauzerpuppy had lopen treiteren met een nepbot. "Ik zou magie kunnen gebruiken om alle vier de outfits tot eentje samen te voegen", mijmerde ze, maar ik ben bang dat dat net zoiets zal worden als wanneer je vier soorten verf door elkaar gooit. Eén vieze brij."

"De Deense dogs en de buldogs waren al erg genoeg", klonk Salems trillende stem vanonder de kleren, "maar de toy poedels – die waren het ergste. Al dat keffen en blaffen en kwijlen. En die aanstellerige buiginkjes – ik werd gek!"

"Ik zou mijn moeders galajurk kunnen dragen, maar als ik in perzikkleur naast Harveys kobaltblauwe smoking ga staan, lijken we net een stel paaseieren. Bovendien zouden mijn tantes het niet leuk vinden als ik hun outfits niet zou dragen."

"En de chihuahua's, die hijgende kleine knaagdieren..."

"Als ik mama's jurk kon verven, zou het nog wat kunnen worden, maar ik weet helemaal niets van tafzijde. Stel dat ik hem verpest?"

"En die lelijke kleine hotdog-hondjes – ik heb een hekel aan teckels!"

Sabrina sprong plotseling op uit haar stoel. "Wacht eens even! Ik heb het!"

Met een geschrokken schreeuw sprong Salem recht omhoog uit de stapel kleren en landde op Sabrina's bed. Met wijd open ogen en uitstaande klauwen keek hij in één keer de hele kamer rond met een snelle draai van zijn hoofd. "Wie – wat – waar?"

Sabrina luisterde niet. Ze pakte de doos met haar moeders jurk op en rende de deur uit. "Tot later, Salem!"

"Huh?" De kat keek haar na, en ging daarna vol afschuw zitten. "Dat was de laatste keer dat ik in dit huis naar medeleven zoek."

In 'Het Best Gekleed' was het altijd druk, maar het

wemelde er echt van de klanten toen Zelda binnenkwam. Ze wachtte geduldig tot een medewerker tijd voor haar had.
"Welkom in 'Het Best Gekleed', waar je altijd het best gekleed wordt", zei de uitgemergelde, zuur en ongelukkig kijkende verkoopster met futloos haar. "Kan ik u helpen?"
"Ja", zei Zelda. "Ik kom een outfit ophalen."
De verkoopster wees naar de achterkant van de winkel. "Gaat u naar Miss Cantrips bij de ophaalbalie."
"Dank u wel." Zelda baande zich een weg naar de achterkant van de winkel. Daar zag ze de laatste persoon die ze verwachtte bij de ophaalbalie staan. "Och, hemeltje, kijk eens wie hier is – Vesta. Wat een verrassing."
Vesta, die liep te pronken met haar roze Capri broek, een geel bikinitopje onder een doorzichtig plastic jasje en naaldhaklaarsjes, draaide zich om. Een fractie van een seconde was er een schok in haar prachtige blauwe ogen te zien toen ze haar jongere zus zag staan. Toen herstelde ze zich en zond een schitterende glimlach uit. "Zelda. Schat. Wat doe jíj hier?"
Zelda deed niet onder voor Vesta in nonchalance. "Winkelen, natuurlijk. En jij?"
"Winkelen, natuurlijk." Vesta wachtte, alsof ze verwachtte dat Zelda weg zou gaan. Toen Zelda niet wegging, gebaarde ze naar de ophaalbalie. "Je hebt al iets besteld, dus?"
"Wat? Oh, ja", zei Zelda, terwijl ze vurig hoopte dat haar zus ergens anders naartoe zou gaan. "Gewoon een leuk pakje. Niets speciaals. En jij?"

Vesta wuifde slapjes met haar hand. “Gewoon een nieuw setje. Je weet hoe het gaat.”
“Oh, ja, zeker.”
De twee zussen staarden afwezig de winkel door, beiden hopend dat de ander wegging voordat Miss Cantrips zou verschijnen. Wat er toen gebeurde, verbaasde hen allebei.
“Wat doen júllie hier?” klonk een bekende stem.
Zelda en Vesta draaiden zich om en zagen een kleine draagbare tv door de lucht zweven. Maar de persoon op de tv was geen ster – het was Hilda.
“Ik dacht dat jij huisarrest had?” zei Vesta bot.
“Dat heb ik ook”, antwoordde Hilda. “Maar ik heb de regels bekeken. Ik mag in noodgevallen een afstandsbediening gebruiken.”
“Een noodgeval als?” wilde Zelda weten.
Hilda’s televisiebeeld grijnsde hoopvol. “Winkelen?”
Miss Cantrips kwam net op dat moment aanlopen. “Kan ik jullie helpen, dames?”
“Ja, ik ben hier om een outfit voor Sabrina Spellman op te halen”, zeiden Zelda, Hilda en Vesta tegelijkertijd.
Miss Cantrips was even stil. “Hebben jullie last van een synchroniciteitsspreuk?” informeerde ze nieuwsgierig.
De zussen keken elkaar boos aan. “Nee”, zei Zelda uiteindelijk, “maar wel van gemeenschappelijke inmenging met iemands zaken. Of heb ik het mis?”
Hilda’s televisiebeeld stak langzaam een hand omhoog. “Schuldig.”
Vesta haalde haar schouders op. “Schuldig. Nou en?”

"Nou en?!" zei Zelda. "Luister, we houden allemaal van Sabrina, maar zo helpen we haar niet. Het arme ding moet zich in een ongelooflijke staat van besluiteloosheid bevinden op het moment, dankzij ons."

"Sorry, maar zei u Sabrina Spellman?" vroeg Miss Cantrips.

De zussen knikten.

"Ze heeft haar bestelling al een uur geleden opgehaald."

De zussen verwisselden verbaasde blikken. "Echt waar?" zeiden ze in koor.

Miss Cantrips knikte.

"Ze zal achter mijn rug om een eigen jurk besteld hebben", snoefde Vesta. "De brutaliteit!"

"En na alle moeite die ik heb moeten doen om Drest met zijn voorraad naar het huis te krijgen", klaagde Hilda.

Zelda dacht terug aan Sabrina's reactie toen ze Het Best Gekleed binnen waren geflitst. "Geen wonder dat ze 'Oh nee' zei."

"Wacht eens even." Hilda's tv zweefde naar de balie en zette zich erop neer. "Waarom maken we ons nou zo druk? Sabrina heeft duidelijk haar eigen zaken geregeld, net zoals ze vanaf het begin had moeten doen. Ja, toch? Wij mogen niet boos op haar zijn. We moeten boos op onszelf zijn."

"Hilda heeft gelijk", zei Zelda. "In plaats van haar te helpen, hebben we allemaal geprobeerd haar beslissing te beïnvloeden met onze eigen voorkeur. Het was niet eerlijk van ons om haar dat aan te doen."

"Dat zal dan wel niet", zei Vesta met tegenzin. "Dus,

wat doen we nu?"
"Niets", zei Zelda. "We hebben ons er al genoeg mee bemoeid. Sabrina heeft haar jurk, dus laten we haar die naar het gala dragen."
"En ik stel voor dat we ook geen begeleider worden op het gala", voegde Hilda eraan toe.
Vesta's ogen begonnen te stralen. "Begeleider? Op het gala? Kan dat? Wat een geweldig idee!"
"Nee, Vesta", zei Zelda stellig. "Geen bemoeienissen van ons meer. Afgesproken?"
Hilda's televisiebeeld knikte plechtig. "Afgesproken."
Zelda wendde zich tot Vesta. "Afgesproken, Vesta?"
"Maar..." Vesta pruilde verslagen. "Oh, jullie zijn zo saai."
De zussen namen afscheid. Vesta ging op zoek naar iets troostends om te kopen, Zelda flitste zich terug naar het sterfelijke rijk en Hilda's televisiebeeld veranderde in sneeuw.

✻✻

Hoofdstuk 15

✻✻

Zaterdagavond. Bijna zes uur. De grote avond stond op het punt te beginnen!
Sabrina stond voor de spiegel in haar slaapkamer en keek nog een laatste keer naar haar outfit. Ze had er de hele dag over gedaan om het voor elkaar te krijgen en nu was ze eindelijk klaar. "Ik denk dat ik klaar ben", zei ze. "Hoe zie ik eruit?"
Salem keek vluchtig op uit het tijdschrift dat hij aan het lezen was. "Geen twijfel over mogelijk", zei hij. "Je ziet er piekfijn uit."
"Ik ben voor één keer geneigd om het met je eens te zijn, kat." Sabrina knipoogde naar hem en ging naar beneden. "Maar ik moet nog een laatste ding doen. Ik moet nagellak opdoen voordat Harvey hier is."
Ter ere van Vesta had ze al een kleur stemmingsnagellak uitgekozen die bij haar jurk paste. Gelukkig droogde de lak snel omdat het toverlak was, dus toen de deurbel ging, deed ze hem open zonder bang te hoeven zijn voor haar nagellak.
Harvey stond op de veranda, een verschijning in

kobaltblauw polyester. Hij liet de corsage bijna vallen toen hij Sabrina zag. “Wauw!”
Sabrina draaide een rondje om haar moeders jurk te showen die ze die ochtend naar ’Het Best Gekleed’ had gebracht om te laten verven en aanpassen zodat hij bij Harveys gedateerde smoking zou passen. Het was een magische spoedbestelling geweest, maar het was het extra geld waard geweest. “Wat vind je?” vroeg ze hem. “Zijn we klaar voor *Saturday Night Fever*, of niet?”
“Wauw”, was alles wat Harvey weer kon zeggen. Toen slikte hij, duidelijk met moeite. “Jij bent het enige meisje dat ik ken dat een gozer in een raar ouderwets pak er goed uit kan laten zien. Sabrina, je bent de beste.”
Ze glimlachte. “Nou, ik dacht dat als jij retro moest, ik me daar op zijn minst aan kon aanpassen.” Ze tikte met haar vingers tegen haar oren. “Tot de kleinste details aan toe.”
Harvey snoof geamuseerd. “Kleine smiley-oorbellen!”
“Voor bij die afschuwelijke smiley op jouw jaszak.”
Harvey bloosde. “Ik geef het niet graag toe, maar ik dacht niet dat je het lef zou hebben om met mij in dit pak gezien te worden, laat staan je aan me aan te passen.” Hij herinnerde zich ineens de corsage. “Oh, hier. Deze is voor jou.” Terwijl hij haar hielp hem vast te spelden, merkte hij iets fonkelends vlakbij de grond op. “Eh, Sabrina, volgens mij geven je schoenen licht.”
Inderdaad, Sabrina’s schoenen gaven écht licht. Ter

ere van Hilda had ze de gouden sandaaltjes van Hilda's winkelsessie genomen en ze door Drest laten beschilderen met lichtblauw gemengd met magische glitterstof. "Fijn dat je ze mooi vindt", zei ze. "Het zijn, eh... erfstukken."
Nu keek Harvey op en zag nog iets anders. "Wat heb je in je haar? Een vlinderdas? Wat leuk. Vreemd, maar cool."
Het was inderdaad een vlinderdas. Ter ere van Zelda had Sabrina de vlinderdas van Zelda's winkelsessie genomen en in de kleur van haar jurk geverfd. Als extraatje had ze hem afgewerkt met satijnen donkerblauwe versiering. "Ik hoop een nieuwe rage op te starten", zei ze tegen Harvey, genietend van zijn complimenten. "Dus, Mr. Kinkle" – ze stak haar hand uit – "zullen we naar het bal?"
Harvey moest de nagellak op haar aangeboden hand wel opmerken. "Hé, je nagels veranderden net van blauw naar rood! Hoe deed je dat?"
"Magie", antwoordde Sabrina, die een grijns onderdrukte. *Oh, rood is liefde! Tante Vesta had gelijk: het is leuk om te weten hoe de mensen om je heen zich voelen!*
Als een man in een droom nam Harvey haar hand en liep richting de auto, die bij de stoeprand stond. "Hoe klinkt een etentje bij Chic Eats?"
Chic Eats was een klein Italiaans restaurant, ietwat goedkoop, met geblokte tafelkleden en luidruchtige obers. Het was niet het soort tent waar de meeste galastellen zouden verkiezen te eten, maar het had een zekere charme. En het was echt helemaal Harvey.

"Prima", zei Sabrina. "Doen we."
Terwijl Harvey de auto startte, ging Sabrina onderuit in haar stoel zitten en ze voelde zich voor het eerst die week goed. *Al mijn problemen zijn opgelost*, dacht ze gelukkig en ze keek uit naar een heerlijke avond.

Zelda stond bij de deur van de gymzaal en probeerde in het decor weg te vallen. Het thema voor het eindexamenfeest was duidelijk Camelot, hoewel de versieringen, hoe enthousiast ze ook waren, totaal geen historische basis bevatten. Zelda had Camelot eens bezocht en ze wist uit persoonlijke ervaring dat een zichzelf respecterende draak voor geen goud met een schaal met hors d'oeuvres gezien zou willen worden.
Ze keek om zich heen, maar zag Sabrina en Harvey nergens. Ze waren ongetwijfeld nog aan het eten, want het gala was officieel ook nog niet begonnen. De band was bezig met de soundcheck en de eerste stelletjes arriveerden pas.
Zelda hield er niet van om zo heimelijk te doen daar bij de deur. Ze was van plan geweest om de afspraak met haar zussen na te komen en weg te blijven van het gala. Maar ze had de ondeugende fonkeling in Vesta's ogen gezien en wist dat haar oudere zus haar woord zou breken. Als er één persoon was die Sabrina niet op haar feest kon gebruiken, was dat Vesta. Zelda wilde dat voorkomen.
"Goed om je weer eens te zien, Zelda", zei Mr. Kraft, die op haar af stapte en begroetend knikte. "Fijn dat je ons feestje wilt begeleiden."
"Dit doet me denken aan één van Arts feestjes", ant-

woordde Zelda, “alleen had hij zijn eigen cateraars en was de verlichting natuurlijk minder goed.”
Mr. Kraft knipperde met zijn ogen. “Art? Bedoel je Koning Arthur, als in Arthur van Camelot?” Hij lachte. “Goeie. Zeg” – hij ging dichterbij haar staan – “is je charmante zus hier misschien ook?” Kraft was gek op Hilda geweest, maar zijn pogingen haar te veroveren waren de laatste paar weken bekoeld. Hij was blijkbaar klaar om het weer eens te proberen.
“Ik ben bang dat ze... het thuis te druk heeft”, informeerde Zelda hem.
Hij pruilde. “Balen. Ik hoopte dat –” Kraft stopte middenin zijn zin. “Hoe bedoel je dat ze het thuis te druk heeft. Ze staat dáár.” Zijn ogen puilden uit. “En wie is dat in godsnaam bij haar?”
Zelda draaide zich om en zag Hilda naast een ridderpop in harnas staan. Aan de andere kant van de ridder stond Vesta! Zelda wist niet zeker wat haar meer verbaasde – de onmogelijke aanwezigheid van haar jongere zus of het excentrieke Arthuriaanse kostuum van haar oudere zus. In tegenstelling tot Hilda, die een schattige combi van rokje en jasje droeg, had Vesta zich uitgedost met een lange avondjurk en sluier waar Guinevere nog jaloers op zou zijn geweest.
Zelda haastte zich naar hen toe, achternagezeten door de nieuwsgierige Mr. Kraft. “Wat doe jij hier?” vroeg Hilda net aan Vesta.
“Ik?” reageerde Vesta onschuldig. “Wat doe jíj hier? Jij hebt toch huisarrest?”
“Ik ben hier omdat ik wist dat jij zou komen”, zei Hilda.

"En ik ben hier omdat ik dat wil", verklaarde Vesta.
"Geen van jullie beiden zou hier moeten zijn!" wierp Zelda tegen.
"Kijk eens wie we daar hebben. Het heilige boontje", zei Vesta. Ze knipperde met prachtige mascarawimpers naar Mr. Kraft. "Dag, knapperd."
Kraft smolt bijna. Toen schudde hij zichzelf weer bij bewustzijn. "Hilda, kan ik je even spreken?" vroeg hij.
Zelda greep Hilda's arm. "Ik eerst." Ze trok haar opzij en fluisterde: "Genoeg over waarom je hier bent – hóé ben je hier? Jij hoort thuis te zijn!"
"Ik realiseerde me dat ik met een Het-Lijkt-Net-Of-Ik-Er-Ben spreuk het huis kon verlaten", legde Hilda uit.
Zelda hapte naar adem. Een Het-Lijkt-Net-Of-Ik-Er-Ben spreuk creëerde een beeld van degene die hem uitsprak en herhaalde wat die persoon deed, maar op een andere plek. Dat betekende dat een reflectie van Hilda nu thuis was en dezelfde bewegingen maakte als de echte Hilda. Hun vaders huisarrestspreuk dacht dat Hilda echt thuis was. "Je neemt een behoorlijk groot risico", waarschuwde Zelda. "Als de huisarrestspreuk achter het bedrog komt..."
"Ik doe dit voor Sabrina", zei Hilda. "Ik wist dat Vesta zou komen, en ik had gelijk – zie je?"
"Ik wist het ook, maar ik kan haar wel alleen aan."
"Nee, dan kan je niet. Niemand kan haar aan."
"Nou, het is beter dat ik het alleen probeer dan dat jij hier zonder je vaders toestemming bent!"
"Luister, Sabrina is ook mijn verantwoordelijkheid!"
Vesta liet zich tussen hen in glijden. "Tut-tut, zusjes, laten we geen ruzie maken."

"Hou je hierbuiten!" snauwden Zelda en Hilda allebei. Alle drie de zussen begonnen te ruziën. Overweldigd begon Mr. Kraft met zijn armen te zwaaien om hun aandacht te krijgen. "Dames, dames, kalmeer! Wat het probleem ook is..." Hij zweeg terwijl er een vreemd warm briesje voorbij suisde dat zijn haar door de war maakte. Hilda en Zelda stopten met ruziën en Vesta keek hen verward aan. Kraft knipperde alsof hij uit een droom ontwaakte en streek daarna zijn haar glad. "Wat het probleem ook is", herhaalde hij langzaam, "ik weet zeker dat we een minnelijke schikking kunnen treffen. Het is tenslotte alleen maar eerlijk als..."

Het gala was nog niet op volle gang. Slechts de helft van de stelletjes was gearriveerd en de band begon net te spelen. Maar Libby Chessler was al druk bezig; ze zorgde ervoor dat iedereen op de goede plaats stond, met de juiste mensen sprak, het juiste eten at en op de goede plek danste. "Gordie", zei ze, terwijl ze het sulletje op de schouder tikte. "Je mag hier niet dansen."
Gordie en zijn afspraakje, een timide meisje dat Paula heette, verbleekten. "Mag dat niet? Waarom niet?"
Libby wees naar de vloer. "Zien jullie dit patroon? Jullie staan niet eens óp de Ronde Tafel." Ze duwde hen zachtjes naar de middenzone. "Hier hebben jullie meer ruimte, dichter bij de band."
De twee sullen grijnsden. "Dank je, Libby!"
Libby glimlachte terug. "Dat is wel zo eerlijk."
Een warm briesje vloog langs Desmond Jacobi, met wie Libby op het gala was, en rukte aan zijn jasje. Hij knoopte hem afwezig dicht en vroeg aan Libby:

"Waarom moeten de leraren en ouders de hele avond op ons staan letten? Moeten zij ook niet de kans krijgen om te dansen?"

Libby klopte hem op de arm. "Desmond, dat is een geweldig idee. Jij en de andere footballspelers kunnen de plaats van de begeleiders innemen zodat zij ook wat plezier kunnen maken. Dat is wel zo eerlijk."

"Oké!" Desmond ging zijn kameraden verzamelen.

Jill overzag de hapjestafels toen haar jurk door een warm briesje ritselde. "De freaks staan met zijn allen bij de achterste tafel", merkte ze op. "Zo krijgen ze alleen maar bowl. Ze moeten toch ook wat frisdrank hebben?"

"Regel dat dan", beval Libby. "En zorg ervoor dat alles gelijkmatig verdeeld wordt." Terwijl Jill gehoorzaam actie ondernam, zag Libby Valerie en Todd Earling arriveren. Ze haastte zich naar hen toe en zei: "Perfect! Jullie zijn precies op tijd!"

Valerie deinsde terug. "Waarvoor?"

"Voor jullie foto", zei Libby en ze leidde hen naar het fotogedeelte. Ze manoeuvreerde Valerie voor de achtergrond met het kasteel erop. "Dit is de mooiste", zei ze. "Kom op, Todd, de fotograaf heeft niet de hele avond."

Terwijl de fotograaf zijn camera klaarmaakte, ging Todd naast Valerie staan. "Cool. Ik dacht dat wij voor die achtergrond met dat boerenhutje zouden moeten staan, of die van de keuken."

"Alsjeblieft, zeg", zei Libby. "Ik laat die afschuwelijke dingen verwijderen. Het is gewoon eerlijk als iedereen dezelfde eindexamenfeest-foto krijgt, ja toch?"

Valerie haalde haar schouders op. “Ja!”
“Oké, Mr. Wolfman, u kunt beginnen”, zei Libby tegen de fotograaf. Toen ging ze snel Mr. Kraft zoeken. “Geld, geld, ik moet geld hebben”, mompelde ze in zichzelf. “Foto’s maken is hard werk. Mr. Wolfman hoort absoluut meer geld voor deze klus te krijgen.”
Ze voelde het amper toen de warme wind langs kwam en de huid van haar nek kietelde. Ze was eraan gewend.

Na het eten bij Chic Eats besloten Sabrina en Harvey op hun gemak een stukje in het maanlicht te rijden voor ze naar het gala gingen. Zoals Harvey het zei: “Ik heb er een hekel aan om als eerste op een feestje aan te komen. Dan kun je je achter niemand verstoppen.”
Ze zetten de radio een tijdje keihard aan en hadden veel lol in hun pogingen een samenhangend gesprek te voeren boven het lawaai uit. Daarna gingen ze bij de Slicery langs om een spelletje tafelvoetbal te spelen in hun galakleding, gewoon om de andere klanten te imponeren. Uiteindelijk gingen ze richting het grote gebeuren.
Toen ze bij de gymzaal van Westbridge High School aankwamen, stond er net een rij cheerleaders voor de deur. “Oh, fijn”, zei Sabrina. “De sociale Gestapo staat al klaar om het uitschot buiten te houden.”
“Zijn wij uitschot?” vroeg Harvey.
“Daar komen we vanzelf achter.”
Ze liepen naar de deur en zagen dat de cheerleaders iedereen die binnenkwam een vel papier gaven. “Wat is dat?” vroeg Sabrina.

Cee Cee gaf er een aan Sabrina. "Het is een stembiljet, zodat je op het beste danspaar kunt stemmen. Observeer de dansers en schrijf je keuze op. Maar je moet wel opschieten, want het is bijna tijd."

Sabrina pakte het papier aan. "Cool! Wat een goed idee."

Cee Cee keek zelfvoldaan. "Het was mijn idee. Het is tenslotte alleen maar eerlijk."

Sabrina's hart ging sneller kloppen. "Wát zei je daar?"

"Ik zei dat het alleen maar eerlijk is."

"Hé, Sabrina, voel je je wel goed?" vroeg Harvey haar toen hij zag dat de kleur uit haar gezicht verdween.

Ze greep zijn arm vast. "Kom op, Harvey, we moeten naar binnen!"

* *

Hoofdstuk 16

* *

Alle spanning die eerder die avond uit Sabrina was weggevloeid, kwam weer terugstromen toen ze de gymzaal binnenging. Het eindexamengala was in volle gang, maar alleen Sabrina zag de gebeurtenissen door een kolkende geelpaarse nevel. *De Eerlijke Wind is terug!* dacht ze in paniek. *Hij is tot een mist verdampt en hier blijven hangen!*

Leraren en ouders dansten dat het een lieve lust was, terwijl leerlingen als begeleiders op wacht stonden bij de deur. Verscheidene populaire meisjes stonden in hun eentje tegen een muur, wanhopig wachtend op danspartners, terwijl massa's nerdmeisjes vochten om wie met Gordie mocht dansen. De fotograaf was druk bezig met foto's van zichzelf te maken en middenin al dit gewoel schoof Libby letterlijk eten in de handen van sullen en zei: "Eet op, het is heel duur!"

Sabrina wist dat het te ver gegaan was toen ze Mrs. Quick donaties voor de band zag innen. "Ze spelen zo goed", zei de lerares, "het is wel zo eerlijk als we een jacht voor ze kopen, vind je ook niet?"

Trudy stapte op Sabrina en Harvey af met haar stembiljet in haar hand. "Wauw, jullie bewegen niet eens!" riep ze uit. "Ik stem op jullie!"
Sabrina raapte haar verstand bij elkaar en probeerde een oplossing te bedenken. "Zo erg is het nog niet", zei ze tegen zichzelf. "Misschien kan ik het nog fixen." En op dat moment zag ze Zelda dansen tussen de menigte. "Oh help, tante Zelda! Harvey, ik ben zo terug."
"Tuurlijk", zei Harvey, en hij tikte één van de populairste footballspelers aan. "Hé joh, la me effe met je vriendinnetje dansen."
De sporter knikte alleen maar, totaal niet geërgerd. "Lijkt me redelijk", zei hij en hij trok zich terug.
Sabrina baande zich een weg door de massa dansende lijven en zag toen dat tante Zelda met Desmond Jacobi danste. "Hallo, Sabrina", zei Zelda vrolijk. "Is Des geen schatje? Hij heeft zo goed de wacht gehouden, dat ik vond dat hij ook wel even mocht dansen."
"Wat doe je hier?" wilde Sabrina weten. "Je had beloofd dat je je niet meer met me zou bemoeien!"
Zelda draaide lachend een rondje. "Ik heb het naar mijn zin. Vind je het dan niet eerlijk dat ik ook wat lol maak op een zaterdagavond?"
"Oh, nee", zei Sabrina, "jij bent ook al beïnvloed!"
"Beïnvloed? Hoe bedoel je?"
"Laat maar." Ze keek om zich heen en merkte tante Hilda op – die met Mr. Kraft danste! "Oh, geweldig – twee problemen in één." Ze ging er snel op af. "Tante Hilda, je mag het huis helemaal niet uit!"
"En dat is niet zo eerlijk", antwoordde Hilda. "Ik

móést gewoon naar jouw gala komen, dus heb ik magie gebruikt om papa's spreuk te misleiden."

Mr. Kraft stopte even met zijn zwemslagdans om Hilda's hand te pakken en hem te kussen. "Ze heeft magie gebruikt", herhaalde hij opgewekt. "Hé, kunnen we niet allemaal magie gebruiken?"

"Ja!" stemde Hilda in. "Iedereen zou magie moeten kunnen gebruiken. Dat is wel zo eerlijk!" Ze wilde wijzen met haar vinger, maar Sabrina greep hem beet. "Oh, nee, dat doe je niet!" Terwijl Hilda haar wenkbrauwen fronste, voegde Sabrina er snel aan toe: "Eh, je kunt beter eerst wachten tot iedereen er is."

Hilda dacht er even over na. "Goed idee. Oké."

Sabrina had amper tijd om opgelucht te zuchten, toen het nummer afgelopen was en een zwoele stem door de microfoon zei: "Goedenavond iedereen, welkom op het eindexamengala van Westbridge High School. Ik ben Vesta en ik presenteer de verkiezingen van de koning en koningin. Maar eerst wil ik graag de winnaars van de danswedstrijd bekendmaken."

Sabrina rende naar het podium. "Tante Vesta? Wat doe je hier?"

Vesta boog zich voorover terwijl ze de microfoon met haar hand bedekte. "Sabrina, je hebt me helemaal niet verteld dat je een Eerlijke Wind-drankje gemaakt hebt. Stoute meid."

"Kun – kun je dat zien? Word jij er niet door beïnvloed?"

"Natuurlijk niet", zei Vesta. "Ik draag Magie-Afweer, de nieuwe niet-klevende formule die meteen droogt, geen vlekken op delicate kleding achterlaat en zelfs

het gemeenste drankje afweert. Ik ben niet zo gek om ten prooi te vallen aan zomaar iedere spreuk die mijn kant op geflitst wordt, snap je." Ze tikte Sabrina op het hoofd. "Als je me nu wilt excuseren, ik heb veel te veel lol." Ze ging weer rechtop staan en zei in de microfoon: "De stemmen voor de danswedstrijd zijn geteld en de winnaars zijn..." Cee Cee spoedde zich over het podium en gaf een papiertje aan Vesta. Vesta vouwde het open en las het. "Het is niet te geloven. De winnaars zijn Sabrina Spellman en Harvey Kinkle!"
De menigte klapte en Harvey werd naar voren geduwd naar Sabrina bij het podium. "Maar we hebben nog helemaal niet gedanst", probeerde Sabrina hen te vertellen.
"Precies", zei Vesta geamuseerd. "Dus is het alleen maar eerlijk dat jullie winnen."
"Dat slaat nergens op."
Terwijl ze Sabrina een trofee overhandigde, merkte Vesta op: "Jij bent degene die geprobeerd heeft een Eerlijke Wind-drankje te verdubbelen, schatje."
"Oh, dit gaat helemaal fout!" zei Sabrina wanhopig. "Tante Vesta, wil je me dan niet helpen?"
"Vóór we de koning en koningin van het gala hebben gekozen?" vroeg Vesta geschokt. "Absoluut niet." Ze bracht de microfoon naar haar mond en kondigde aan: "En dan nu het moment waarop jullie allemaal hebben gewacht. Hier komen de kandidaten voor koning van het gala!"
De kandidaten bleken Desmond Jacobi, Gordie en één van de obers te zijn. "Met een overweldigend applaus won de ober. "Maar hij is niet eens een leerling",

klaagde Sabrina. Voor iemand het kon zeggen, zei ze het zelf. “Ik weet het, dat is wat het zo eerlijk maakt.”
Ze rende terug naar Zelda en Hilda, die met Mr. Kraft bij een hapjestafel stonden en zich volpropten met koekjes. “Tante Hilda, tante Zelda, kunnen jullie me niet helpen dit te stoppen, *alsjeblieft?*”
“Stoppen?” vroeg Zelda, die op een mondvol worteltaart kauwde. “Je maakt toch zeker een grapje? Het is fantastisch!”
Hilda pakte een hand vol chocoladekoekjes. “Hoe vaak kun je als volwassene nou zonder je te schamen zoveel suiker eten? Het is wel zo eerlijk dat we ons in het openbaar als varkens mogen gedragen, dat mogen kinderen ook.” En ze schoof ze allemaal tegelijk in haar mond.
Mr. Kraft lachte. “Hilda, je ziet er zo schattig uit met van die dikke hamsterwangen.”
Sabrina sloeg met haar hand op haar voorhoofd. “Ik kan dit niet veel langer aanzien...”
Dat hoefde ze ook niet, tenminste, niet van haar tantes. Met een flits van magisch licht begon Hilda plotseling te vervagen. “Oh, nee. Papa’s spreuk heeft me door!”
Poef! Ze was verdwenen.
Nog een flits en ook Zelda begon te vervagen. “Hij neemt mij ook te pakken! Dat is niet eerlijk!”
Poef! Weg was ze.
En nog een flits. Nu begon Mr. Kraft te vervagen. “Ik heb geen idee wat er gebeurt, maar het zal wel eerlijk zijn”, zei hij verbluft.
Poef! Hij verdween.

Op het podium had Vesta net de kandidaten voor galakoningin aangekondigd. Libby, Trudy en Valerie stonden op het podium. “Wie is er voor Libby?” zei Vesta in de microfoon.
Hier en daar klonk wat geklap.
“Wie is er voor Trudy?”
Weer hier en daar wat geklap.
“En wie is er voor Valerie?”
Er barstte luid applaus los in de gymzaal.
“Ikke?” gilde Valerie verbaasd. “Ben ík de *galakoningin*?”
Vesta zette de officiële galakoningintiara op Valeries hoofd. “Het lijkt er wel op, lieverd. Gezien de omstandigheden, heb je gewonnen omdat je normaal gesproken nooit van je leven zou hebben gewonnen, zelfs niet van dit zielige wezentje hier.” Vesta gebaarde naar Trudy. “Geniet van het moment. Het zal je waarschijnlijk niet vaker overkomen.”
Valerie kon zich amper bewegen. De ober die de kroon van de galakoning droeg, ging naast haar staan en pakte haar arm. Uitermate geamuseerd door dit alles, gaf Vesta Valerie de microfoon. “Toespraak, lieverd. Je publiek wacht op je.”
Valerie pakte de microfoon aan, slikte en stamelde: “Ik, eh... voel me zo vereerd...”
Iedereen applaudisseerde.
“Maar ik kan dit niet aannemen. Als ik echt eerlijk ben, vind ik dat Libby koningin van het gala moet zijn. Zij is tenslotte populair en ik niet.” Valerie deed haar tiara af en probeerde hem aan Libby te geven, maar Libby weigerde hem.

"Geen sprake van, Valerie, dat zou niet eerlijk zijn", zei Libby. "Als iemand zou moeten winnen, moet dat Trudy zijn. Jullie zijn allebei niet populair, maar zij is ook nog eens lelijk."
Valerie knikte. "Je hebt helemaal gelijk, Libby."
Trudy weigerde de tiara ook. "Nee, Valerie, jij hebt hem eerlijk gewonnen. Het zou niet uit moeten maken dat ik lelijker ben dan jij – jij bent sulliger dan ik."
De meisjes stortten zich in een discussie over waarom ze *niet* de galakoningin moesten worden, en toen die discussie een complete ruzie dreigde te worden, was de limiet van Sabrina's geduld bereikt. Met een zwaai van haar vinger, sprak ze:

"Ik geef het toe, de fout ligt bij mij
Om me het te laten oplossen, bevries deze brij!"

Alles en iedereen verstijfde, behalve Vesta. *Dat zal de Magie-Afweer zijn*, dacht Sabrina terwijl haar oudste tante zich langzaam van het podium naar Sabrina's zijde flitste. "Uitstekende tijdsbevriezing", complimenteerde Vesta haar. "Maar ik heb het idee dat het alleen maar betekent dat je hulp gaat vragen om alles weer goed te maken en dat je geen nee zult accepteren, klopt dat?"
"Bingo."
Met een gezichtsuitdrukking die uitstraalde dat ze zich misbruikt voelde, hield Vesta haar handen in de lucht. "Het is niet aan mij om jouw problemen op te lossen, dus ik geef je alleen een hint." Ze wees recht omhoog en een bliksemschicht van gouden heksenmagie raak-

te het plafond.
"Een hint?" zei Sabrina teleurgesteld en ze volgde met haar ogen de bliksemschicht.

* *
# Hoofdstuk 17
* *

Sabrina keek naar het plafond en zag iets ronddraaien. "Een ventilator? Tante Vesta, dat heb ik al geprobeerd. Het werkte niet."
"Laat me raden", zei Vesta. "Je hebt geprobeerd de Eerlijke Wind weg te blazen." Toen Sabrina knikte, ging Vesta verder. "Je hebt waarschijnlijk gemerkt dat hij voor je wegdook. De meeste Eerlijke Winden hebben een eigen wil. Het is tenslotte wel zo eerlijk als ze dat zouden hebben."
"Dit is niet het moment om grapjes te maken."
"Ik maak geen grapje. Jij hebt je Eerlijke Wind weggeduwd, dus vanzelfsprekend kwam hij in opstand. Nu luistert hij helemaal niet meer naar je. Je moet de macht weer in handen nemen."
"Maar hoe?" Toen viel het kwartje in Sabrina's hoofd. "Dat is het! Ik moet de ventilator andersom zetten en de Eerlijke Wind *opzuigen*!"
Vesta gaf haar nichtje een knuffel. "Genialiteit zit in de familie."
Sabrina was nog niet klaar. "Maar ik kan zelfs nog

meer doen. Als ik de ventilator hard genoeg zet, kan ik een vacuüm creëren en de status-quo herstellen, toch?"

Vesta keek haar nichtje vol bewondering aan. "Nou, nou, wat een slim heksje ben jij, zeg. Zelfs ík had dat nog niet bedacht."

Gefocust op het plan van aanpak, wees Sabrina naar de ventilator die Vesta tevoorschijn getoverd had en vergrootte hem. Toen hij bijna het halve plafond van de gymzaal in beslag nam, wees ze weer en toverde hem aan. Toen de ventilatorbladen begonnen te draaien, voelde ze een zachte opwaartse ruk.

"Ik stel voor dat je de bevriesspreuk ongedaan maakt", fluisterde Vesta in haar oor, "anders zou zelfs een ventilator die zo groot als het Yankee stadion geen effect hebben."

"Goed idee." Sabrina wees met haar vinger naar de galagasten en zei:

"Iedereen kom weer tot leven
dan zal die Eerlijke Wind eens wat beleven!"

Het tumult op het podium hervatte meteen. Uitzinnig van woede stortten Libby, Valerie en Trudy zich op elkaar en begonnen een belachelijk mepgevecht terwijl het publiek hen aanmoedigde. "Oh jee", zei Sabrina, "dit is niet best." Ze dacht snel na en wees naar de band. Ze begonnen onmiddellijk een langzame lovesong te spelen. Sabrina wees weer en iedereen in het publiek vond een partner en begon te dansen.

"Sabrina?" hoorde ze Harveys stem. Hij reikte haar

een hand aan. “Wil je dansen?”
Ze pakte hem aan. “Graag.”
Terwijl Sabrina, Harvey en de rest van de dansers op de muziek wiegden, begon de ventilator snelheid te maken. Hij trok aan de geelpaarse nevel van de Eerlijke Wind, die een hoek in vluchtte en daar probeerde te blijven plakken. De ventilator trok nog harder en – met een hoorbare *floep!* – zoog hij de Eerlijke Wind op.
Toen kwamen de dansers langzaam van de vloer, deinend op de muziek, haren die fladderden in de wind van de ventilator, kleding die flapperde, maar niemand leek het te merken, Sabrina al helemaal niet. Harvey en zij staarden alleen maar naar elkaar terwijl ze hoger en hoger opstegen. Na een paar minuten was de vloer van de gymzaal leeg en de lucht gevuld met mensen die letterlijk op lucht dansten in een perfect sociaal vacuüm.
Als het aan Sabrina had gelegen, had het gala in de lucht mogen blijven. Het was ontzettend romantisch. Maar ze wist dat het niet voor eeuwig kon zijn. Dus met een kleine beweging van haar vinger liet ze de ventilator langzamer draaien. Langzaamaan zakte iedereen in de juiste sociale volgorde naar de grond; sulletjes en nerds eerst, daarna leraren, daarna ouders, daarna de sporters en als laatste de cheerleaders.
Toen het liedje afgelopen was, werd het muisstil in de gymzaal. Iedereen keek elkaar aan. Gemompel als “Wat is er gebeurd?” en “Ik voel me vreemd” bereikten Sabrina’s oren, maar ze negeerde ze. Ze zag alleen maar Harvey, die naar haar glimlachte.

"Geweldig gala", zei hij.
"Ja", antwoordde ze.
Vesta verbrak de betovering. "Gefeliciteerd, Sabrina", zei ze, terwijl ze zich een weg door de menigte baande.
Pas toen realiseerde Sabrina zich dat Vesta geen last van de ventilator had gehad. Haar tantes kapsel zat niet door de war en haar Guinevere-jurk hing nog helemaal recht. Ze liet Harvey even alleen en liep naar haar tante toe. "Jij en die Magie-Afweer", merkte ze op.
"Nee hoor", antwoordde Vesta. "Zo sterk is die niet. Nee, ik ben van nature immuun voor sociale vacuüms. Ik bevind mij daarvoor te ver boven de sterfelijke sociale structuur."
"Aha." Sabrina zei er verder niets meer over. Waar ze zich nu zorgen om maakte was het gala zelf. Hoewel de feestgangers het zich duidelijk niet konden herinneren dat ze gezweefd hadden, konden ze hun warrige haren en kleding niet negeren. Met zo'n mysterie zou het gala verdoemd zijn.
"Oh, kijk in hemelsnaam niet zo bedroefd", zei Vesta tegen Sabrina. "Ik weet precies wat de avond kan redden." Ze draaide snel een cirkel met haar wijsvinger en iedereen begon te kletsen en te lachen alsof er niets gebeurd was.
"Wat heb je gedaan", vroeg Sabrina op haar hoede.
"Niets dat jouw dwaze sterfelijke vrienden zelf niet gedaan zouden hebben als de dingen een sterfelijk verloop hadden gekend", beweerde Vesta. "Ik heb gewoon een van mijn Goede Aflopen getoverd. Die

gebruik ik zo vaak. Hoe denk je dat het komt dat ik zo'n perfect leven leid? Het maakt niet uit wat er nu nog gebeurt, iedereen zal naar huis gaan met de gedachte dat dit het beste gala ooit was. Tevreden?"
Sabrina gaf haar tante een knuffel. "Ja. Bedankt... voor alles."
Vesta's stralende glimlach kwam tevoorschijn. "Graag gedaan. Maar zeg maar niet tegen Zelda en Hilda dat ik je geholpen heb. Ik ben al zoveel jaar bezig om een tegenovergesteld imago op te bouwen, dat het zonde zou zijn om dat nu te verpesten." Ze pakte Sabrina bij haar schouders en draaide haar letterlijk om. "Ga nu terug naar die Harvey van je. Hij wacht op je."
Toen Sabrina nog een keer over haar schouder keek, was ze verdwenen.

Tegen de tijd dat Sabrina thuiskwam, was ze totaal vergeten dan Zelda en Hilda op het gala waren geweest. Ze was ook vergeten dat Mr. Kraft samen met hen verdwenen was. Ze stapte het huis binnen en hoorde hen met zijn drieën ruzie maken in de keuken.
"Wat doe ik hier?" vroeg Kraft net.
"Hé, je moet mij niet aankijken", zei Hilda's stem. "Ik heb er niks mee te maken."
"Hou op, jullie allebei", zei Zelda. "Er is niets meer aan te doen."
Oh, fantastisch, dacht Sabrina. *Tante Hilda's huisarrestspreuk heeft hen alle drie hierheen getrokken en nu is Mr. Kraft door het dolle heen. Dit is allemaal mijn schuld!* Ze dacht er even over na om op haar tenen de trap op te lopen en zich op haar kamer te verstoppen,

maar dat zou de narigheid alleen maar uitstellen. *Ik kan maar beter even door de zure appel heen bijten.*
Aarzelend deed ze de keukendeur open en gluurde naar binnen. "Hoi, ik ben thuis!"
Zelda, Hilda en Mr. Kraft zaten aan de keukentafel monopoly te spelen. "Oh, hoi Sabrina", zei Hilda. "Hoe was je avond?"
"Ehh..." Sabrina wist niet wat ze moest zeggen, aangezien Kraft erbij zat. "Leuk?" waagde ze.
"Excuseer mij even", zei Zelda tegen haar medespelers en ze stond op van haar stoel. Ze gebaarde Sabrina richting de woonkamer terwijl Kraft tegen Hilda zei: "Alleen maar omdat ik zes heb gegooid, moet ik naar de gevangenis? Dat is niet eerlijk!"
"Ik heb de regels niet verzonnen", antwoordde Hilda.
Zelda nam Sabrina mee naar de verste hoek van de woonkamer voor ze sprak. "We weten wat er vanavond gebeurd is", zei ze zachtjes. "Dit ontvingen we een paar minuten geleden via de broodrooster." Ze had een kaartje van Vesta in haar hand, waarop eenvoudigweg stond: "Goede Afloop!" Zelda ging verder: "Zodra we hem openmaakten, werd Mr. Kraft getroffen door een Goede Afloop. Nu denk hij dat hij hier bij ons is omdat het gala saai was."
Sabrina zuchtte opgelucht. "Oh, mooi zo."
"Nee, helemaal niet zo mooi – tenminste, niet voor jou", zei Zelda streng. "Je hebt morgen heel wat uit te leggen over een zeker Eerlijke Wind-drankje."
"Oké, oké", zei Sabrina. "Schuldig."
Zelda's strenge uitdrukking smolt weg. "Maar maak je maar geen zorgen. Je kunt het in de bioscoop aan

Hilda en mij uitleggen."
Sabrina moest het even door laten dringen. "Heh?"
"Dat is wel het minste wat we kunnen doen, na wat we je hebben aangedaan." Ze keek naar Sabrina's kleding. "Ik vind dat je dat kledingprobleem super hebt opgelost."
Sabrina glimlachte. "Nou, ik heb uiteindelijk gewoon besloten om van iedereen wat te dragen. Dat was tenslotte wel zo eerlijk."